Celle qui en savait trop

Linwood Barclay

Celle qui en savait trop

Traduit de l'anglais (Canada) par Renaud Morin

ÉDITIONS
FRANCE
LOISIRS

Titre original : *Never Saw it Coming*
Publié par Orion Books, une marque de Orion Publishing Group Ltd, Londres.

Édition du Club France Loisirs,
avec l'autorisation des Éditions Belfond

Éditions France Loisirs,
123 boulevard de Grenelle, Paris
www.franceloisirs.com

ISBN : 978-2-298-08186-2

To my readers in France:
Thank you for picking up
This special edition of
Never Saw it Coming. I hope
you have as much fun reading
it as a I did writing it.

Linwood Barclay

À mes lecteurs en France :
Je vous remercie d'avoir choisi cette édition
en avant-première de *Celle qui en savait trop*.
J'espère que vous aurez autant de plaisir à le lire
que j'en ai eu à l'écrire !

Linwood Barclay

Pour Neetha

1

— C'est ridicule, dit Marcia Taggart. Tu es en train de me dire que cette femme va deviner où est Justin rien qu'en touchant un objet qui lui appartient ? Tu te fous de moi ? Elle va établir une sorte de *lien* psychique avec lui en tripotant une de ses figurines de petit garçon ou en enlaçant son oreiller ? Tu me prends pour une imbécile ou quoi ?

— Marcia, pour l'amour de Dieu, plaida Dwayne, son mari. Si tu ne comptes pas appeler la police, il faut que tu fasses *quelque chose*. Si ça se trouve, ton fils est dans un fossé quelque part. On doit le retrouver.

— Tu sais aussi bien que moi que c'est sans doute exactement ce qui s'est passé, le rembarra Marcia. Il s'est soûlé, ou drogué, ou il s'est mis en ménage avec une salope quelque part, ou, très probablement, tout ça à la fois. Si je me précipite à la police chaque fois qu'il fait quelque chose de ce genre, il nous faudra une plus grande allée pour accueillir toutes les voitures de patrouille qui stationneront ici à plein temps.

Keisha Ceylon restait là à écouter, et à observer. Qu'ils se disputent. Elle pouvait attendre.

— Ça fait trois jours, argumenta Dwayne. Notre garçon n'a jamais disparu aussi longtemps.

— C'est justement ça, le problème, reprit Marcia, en pointant un doigt accusateur sur son mari. Tu le considères comme un garçon. Ce n'est plus un *garçon*. Il a vingt-deux ans et il est temps qu'il apprenne à voler de ses propres ailes, sans attendre l'aide de sa mère. Pourquoi crois-tu que je lui ai coupé les vivres ? Pour qu'il apprenne à être responsable, voilà pourquoi.

— Je ne dis pas que tu as tort, concéda Dwayne avec douceur. Je sais qu'il t'en a fait voir. Je sais que ç'a été dur, de l'élever toute seule après la mort d'Oscar. Je sais que Justin a besoin de se reprendre en main. Que c'est un petit magouilleur et un emmerdeur de première.

Marcia lui décocha un regard noir qui disait : *Moi, je peux l'appeler comme ça, mais tu n'es pas son père, alors fais gaffe.*

— Désolé, dit-il, ayant parfaitement reçu son message implicite. Mais je ne dis rien que tu n'aies dit toi-même à son propos. Il peut parfois être difficile. Mais Marcia, ce n'est pas parce qu'il est irresponsable qu'il ne pourrait pas avoir de réels ennuis.

Il montra la fenêtre du doigt. Il neigeait un peu.

— Il fait un froid glacial dehors. Suppose que tu aies raison. Suppose qu'il se soit effectivement soûlé, ou drogué, et qu'il ait fini par perdre connaissance dans une congère. Il risque de mourir de froid dehors. C'est ça, ce que tu veux pour ton propre…

— Bien sûr que non ! cria-t-elle.

Sa lèvre inférieure tremblait, ses yeux brillaient de larmes.

C'est parti, se dit Keisha.

— Oh, mon Dieu, gémit Marcia Taggart qui se cacha le visage entre ses mains et alla s'asseoir sur le canapé.

Les mains toujours sur son visage, elle ne voulait pas que son mari ou Keisha la voient perdre le contrôle. Elle tira un mouchoir en papier d'une boîte posée sur la table basse et se tamponna rapidement les yeux, se moucha, puis elle s'assit très droit. Calmée à présent. Royale, même.

— Bien, dit-elle. Alors…

Dwayne contourna le canapé pour venir se poster derrière sa femme et, avec gêne, il posa ses mains sur ses épaules. Comme s'il essayait de la réconforter, mais que sa peau était trop froide au toucher.

— Même s'il lui est arrivé quelque chose de ce genre, dit-elle, en se tournant pour parler à la main posée sur son épaule gauche afin d'indiquer qu'elle destinait bien ces paroles à son mari et non à leur visiteuse, pourquoi diable demander l'aide de cette femme pour le retrouver ?

Elle continuait de parler comme si elle n'était pas là. Keisha connaissait les gens de son espèce. Avant d'exercer cette activité, quand elle gagnait sa vie en faisant des ménages – ce qu'elle continuait à faire lorsque l'argent venait à manquer –, elle avait eu des clientes qui la traitaient comme un meuble. Elles lui laissaient des petits mots pour faire connaître leurs exigences – faire la poussière sur le DESSUS des ventilateurs, bien essuyer les éviers en Inox –, alors même qu'elle se tenait là et qu'elles auraient pu le lui dire en face.

— Tu refuses que j'appelle la police, lui rappela Dwayne.

— On en a déjà discuté, trancha Marcia. C'est juste que… tu sais comment il est, ce dont il est capable.

Elle soupira.

— Suppose qu'il aille très bien, mais qu'il ne nous ait pas donné de nouvelles parce que, je ne sais pas, il a volé la voiture de quelqu'un. Ou parce qu'il a encore fauché dans les magasins. Si on envoie la police à sa recherche, ils finiront sans doute par l'accuser de quelque chose une fois qu'ils l'auront trouvé. C'est ce que tu veux ?

Ce fut au tour de Dwayne de soupirer. Il hocha la tête avec une compassion feinte.

— On a appelé tous ses amis, on est allé partout où on pensait pouvoir le trouver. On est à court d'options.

— Mais *elle* ? dit Marcia en inclinant la tête vers Keisha. Un détective privé ne ferait pas mieux l'affaire ?

Dwayne fit le tour du canapé pour s'asseoir à côté de sa femme.

— Ça aussi, on en a déjà discuté, Marcia. Quand j'ai suggéré de faire appel à un détective privé, tu m'as pratiquement sauté à la gorge. Tu leur reproches de poser des tas de questions, comme la police. Mais c'est comme ça qu'ils travaillent. Ils doivent vérifier les faits, déterrer des indices au besoin, ils doivent parler à des tas de gens, et c'est comme ça que tout le monde finit par être au courant de ce qui ne le regarde pas, Marcia, et je sais que tu tiens à protéger Justin, à rester discrète sur ses… erreurs de jugement. Mais Mme Ceylon ne travaille pas de cette manière. Elle *sent* les choses. Elle peut deviner où est Justin sans faire de vagues, ni parler à quiconque.

Il regarda Keisha.

— N'est-ce pas ?

Elle acquiesça d'un hochement de tête.

— C'est en effet ainsi que je travaille.

Ses premiers mots depuis vingt minutes qu'elle se trouvait dans cette pièce.

Marcia Taggart secoua la tête.

— Mais franchement, Dwayne, cette femme... Il faut que tu gobes tous les délires psycho new age qui se présentent, toi. Cette femme...

— Mon nom, dit Keisha, s'immisçant pour la première fois dans la conversation, est Keisha. Keisha Ceylon. En général, je me fais appeler Keisha, mais si vous préférez continuer à dire « cette femme », je suppose que c'est votre droit.

Marcia tourna son regard sur elle.

— Je ne vous crois pas capable de faire ce que vous prétendez faire.

— Comme la majorité des gens.

— C'est du grand n'importe quoi, assena Marcia.

— Eh bien, dans ce cas, dit Keisha en se levant. Je suppose que je ferais mieux de m'en aller.

Elle leur offrit son sourire le plus sincère.

— Je vous souhaite de retrouver votre fils.

Alors qu'elle se dirigeait vers la porte, Dwayne se mit en travers de son chemin.

— Attendez juste une seconde. Marcia, cette femme, Mme Ceylon, s'est donné la peine de venir jusqu'ici. Je pense que le moins que l'on puisse faire est de l'écouter jusqu'au bout.

— À quel prix ? grogna Marcia.

Keisha se tourna pour la regarder. Elle n'hésita pas.

— Je prends cinq mille dollars.

Elle parvint à le dire sans ciller. C'était plus que son tarif habituel, mais d'après ce qu'elle avait entendu dire, les Taggart pouvaient se le permettre.

Marcia leva les bras au ciel.

— Eh bien, voilà Dwayne ! Je pense que nous savons maintenant exactement à quel genre de femme nous avons affaire.

— Mais *seulement* si je retrouve votre fils, ajouta Keisha. Si je suis incapable de vous conduire jusqu'à lui, alors vous ne me donnerez pas un dollar.

Cette précision plongea la pièce dans le silence pendant plusieurs secondes.

— Ça me semble correct, convint Dwayne. Pas à toi, chérie ? Même si tu penses que cette femme est une sorte d'imposteur, qu'est-ce que tu risques dans ces conditions ?

Marcia Taggart réfléchissait et, devinait Keisha, ravalait sa fierté. Suffisamment pour dire :

— Asseyez-vous… madame Ceylon.

Keisha se rassit.

— Comment procédez-vous exactement ? On éteint les lumières, vous sortez une planche de ouija et vous vous mettez à parler en langues ?

— Non, dit Keisha. Apportez-moi simplement des affaires appartenant à Justin. De petits objets personnels. Des choses qui comptaient pour lui. Un échantillon de son écriture serait utile aussi.

— Je peux m'en charger, proposa Dwayne, qui quitta la pièce en hâte.

Un silence embarrassé se fit entre les deux femmes. Marcia le brisa :

— Mon mari est persuadé que sa défunte mère communique avec lui.

Elle accompagna sa remarque d'un roulement des yeux. Pour faire comprendre à Keisha qu'elle se prêtait à ces inepties uniquement pour faire plaisir à son époux.

Keisha ne dit rien.

— Il prétend qu'elle entre en contact avec lui dans ses rêves, qu'elle l'appelle depuis l'au-delà, poursuivit Marcia en laissant échapper un autre de ses grognements. Radine comme elle était, ce sont probablement des appels en PCV.

Keisha ne rit pas.

— Je sais que vous êtes très remontée contre votre fils, mais je sens aussi que vous l'aimez énormément.

— Oh, vous sentez ça aussi ?

— En effet. Et je sais que vous êtes en fait très inquiète à son sujet.

— Grâce à vos pouvoirs parapsychologiques ? demanda Marcia avec sarcasme.

— Non, répondit Keisha. Parce que je suis une mère. J'ai un fils, moi aussi.

Le visage de Marcia s'adoucit imperceptiblement.

— Matthew. Il a neuf ans. Et croyez-moi, il y a des jours… Mais peu importe ce qu'il fait, peu importe le genre d'ennuis qu'il s'attire à l'école, je l'aime. Il n'y a rien qu'il puisse faire qui changerait ça. Il y a bien des moments où j'aurais envie de lui tordre le cou, mais je l'aimerais encore en le faisant.

Keisha sourit.

—Je plaisante, bien entendu. Quand je parle de lui tordre le cou.

—Non, vous n'avez pas à vous excuser. Justin, je vous jure… on a juste envie de les raisonner à coups de gifles.

—Je sais.

—Il a été pénible dès qu'il a su marcher, mais, arrivé à l'adolescence, ça n'a fait qu'empirer. L'alcool, la drogue, l'absentéisme au lycée. J'ai cessé de lui donner de l'argent parce que je savais qu'il le claquerait pour acheter de la drogue. Mais ce qui me fend tellement le cœur, c'est que c'est un garçon vraiment *intelligent*.

—J'en suis certaine.

—Je veux dire, s'il s'y mettait vraiment, il pourrait tout faire. Les ordinateurs, c'est un as de l'informatique. Il peut additionner une colonne de chiffres de tête. Vous lui demandez combien font quatre cents et vingt fois six cent trois, et comme ça, il vous donne la réponse. C'est probablement une sorte de génie, mais au lieu de se servir de son cerveau pour accomplir quelque chose, il cherche toujours un moyen pour exploiter le système, soutirer de l'argent à sa mère, ou alors, dit-elle en désignant d'un signe de tête la direction prise par son mari, à Dwayne. Je sais qu'il donne de l'argent à Justin dans mon dos. Il a un faible pour lui, il me trouve trop dure. Je pense qu'il était tellement séduit par l'idée de devenir père, même beau-père, que ça l'a empêché de voir les défauts de Justin. Le problème, c'est qu'il est… Il y a quelque chose qui ne tourne pas très rond chez Justin. C'est affreux de dire une chose pareille, mais parfois il me ferait presque peur.

Pas physiquement, mais j'ai peur de ce qui lui passe par la tête. Je voudrais juste…

Et alors, sans prévenir, des larmes lui montèrent aux yeux et coulèrent sur ses joues.

—Oh, mon Dieu, pourvu qu'il ne lui soit rien arrivé.

Keisha se leva de son fauteuil et s'assit sur le canapé à côté de Marcia Taggart.

—Ça va aller, assura-t-elle.

—J'espère que ça fera l'affaire, dit Dwayne qui revenait au salon avec plusieurs objets dans les mains.

—Posez ça ici, indiqua Keisha en désignant la table basse, où elle avait déjà disposé deux de ses cartes de visite.

Dwayne les déposa doucement. Un iPod, un exemplaire de poche du roman *American Psycho*, un chèque annulé, une figurine en plastique d'une femme à la poitrine ridiculement généreuse dans un costume de super-héros.

Keisha les manipula d'un air dubitatif.

—Je ne suis pas sûre que… Vous n'auriez pas un vêtement ? Quelque chose que Justin porte régulière-ment ? Quelque chose qui exprime sa personnalité ?

—Va chercher un de ses chapeaux, dit Marcia.

Elle regarda Keisha. Ses yeux trahissaient d'un coup une grande lassitude.

—Un chapeau, ça irait ?

—Je pense que oui. En attendant, laissez-moi voir ça.

Marcia prit le chèque annulé parmi les objets que Dwayne avait remis à Keisha et se renfrogna. Elle secoua la tête, le plia en deux et le garda dans son poing. De l'autre main, elle prit la figurine et l'examina comme s'il s'agissait d'un obscur artefact produit par une civilisation extraterrestre.

— Justin les collectionne, fit-elle remarquer. Je ne sais pas ce qui me retient de les jeter à la poubelle. Qu'est-ce qu'un jeune homme de plus de vingt ans fabrique avec des jouets de ce genre ? Il doit en avoir cinq cents. Je ne sais même pas qui c'est censé être. Wonder Woman ou…

— Chut, dit Keisha avec douceur avant de fermer les yeux.

Elle manipula le jouet, puis rouvrit les yeux et prit l'iPod.

— Il s'en sert beaucoup, affirma-t-elle.

— En effet.

— Je sens que… quand il l'a sur lui, c'est souvent dans sa poche de chemise, juste à côté de son cœur.

— Enfin, je suppose que c'est là que beaucoup de gens les mettent, répliqua Marcia, de nouveau sceptique. Quand vous toucherez ses écouteurs, vous allez me dire qu'il les porte tout près de son cerveau ?

Keisha lui sourit d'un air contrit.

— Moi qui pensais qu'on commençait à s'entendre.

— Je dis simplement que votre observation concernant l'iPod était plutôt évidente.

Keisha ferma de nouveau les yeux et promena ses doigts sur la surface froide de l'appareil.

— Je vois… Ses yeux sont fermés.

— Comment ça, fermés ? Comme quand on dort ? Vous le voyez dormir ? Allongé ?

—Je ne sais pas. Je le vois juste, lui… Je suis sûre que ça n'a pas de signification particulière.

—Qu'est-ce que vous voyez? demanda Marcia. Plutôt intéressée pour quelqu'un d'aussi cynique.

—Je ne sais pas s'il dort, ou si c'est autre chose.

—Comme quoi? Êtes-vous en train de dire qu'il est… Êtes-vous en train de me dire qu'il n'est pas vivant?

—Non, ce n'est pas ce que je dis. Je suis sûre qu'il est en vie. Mais ses yeux sont fermés, et je me demande s'il ne serait pas inconscient.

—Mais vous n'en savez strictement rien, lança Marcia avec impatience. Ne me mettez pas dans tous mes états si vous ne pouvez rien affirmer…

—Voilà un de ses chapeaux, annonça Dwayne de retour dans la pièce.

C'était une banale casquette de base-ball, bleue avec une visière verte, et le logo des Hartford Whalers sur le devant.

Marcia ouvrit le poing et montra le chèque à son mari.

—Qu'est-ce que c'est?

—Justin l'a encaissé. Il y a sa signature au dos, dit Dwayne sur la défensive. Keisha a dit qu'elle avait besoin d'un échantillon de son écriture. Je ne savais pas quoi prendre d'autre. Les jeunes n'écrivent plus sur papier aujourd'hui.

—Tu lui as fait un chèque de deux mille dollars dans mon dos?

—Marcia, vraiment, ce n'est pas le moment.

—Laissez-moi voir ça, dit Keisha, qui lui prit le chèque des mains.

Elle le retourna et passa son index à plusieurs reprises sur la signature de Justin Wilcox. Wilcox était le nom du premier mari de Marcia Taggart, le père de Justin.

—Je peux le garder?

Marcia le lui reprit d'un geste vif, et déchira le chèque autour de l'endossement, y compris la partie au recto avec le numéro de compte, puis restitua le lambeau de papier portant la signature à Keisha.

—Je ne vois aucune raison de vous donner les coordonnées bancaires de mon mari.

—Oh, pour l'amour de Dieu, s'emporta Dwayne. Pourquoi l'insulter alors qu'elle essaie de nous aider?

—Ce n'est pas grave, prétendit Keisha sans s'offusquer, en glissant le bout de papier dans la poche de sa veste.

—Vous disiez voir Justin les yeux fermés, reprit Marcia, sautant sur l'occasion qui lui était offerte de s'excuser. Qu'est-ce que c'est censé vouloir dire?

Au lieu de répondre, Keisha prit la casquette des mains de Dwayne, se leva et se mit à marcher dans la pièce très lentement.

—Qu'est-ce que vous faites? interrogea Marcia, mais Keisha, qui semblait être tombée dans une sorte de transe, ne répondit pas.

—Laisse-la faire son boulot, répliqua Dwayne.

Keisha disait quelque chose tout bas, marmonnait.

—Qu'est-ce que vous avez murmuré? demanda Marcia.

Keisha leva la main et continua à errer dans la pièce. Puis elle s'arrêta brusquement, se tourna et regarda Marcia.

— Qu'est-ce que « scarf », ou « scarfy », ou quelque chose comme ça signifie pour vous ? Est-ce que ce mot a le moindre sens ?

La bouche de Marcia s'ouvrit.

— Quoi ? Ça ne veut rien dire. Je ne sais absolument pas de quoi vous parlez.

Keisha fit mine de se concentrer intensément.

— Est-ce que ça pourrait être « scar free[1] » ? C'est possible ? Je vois une sorte de bureau. Avec des meubles classeurs vides. Mais « scar free », je dois me tromper. Justin a-t-il des cicatrices ? Laissez-moi regarder à nouveau sa photo.

Dwayne lui avait montré une photo de son beau-fils peu après son arrivée, une photo encadrée de cérémonie de remise de diplômes au lycée. Un garçon maigre, au long visage anguleux. Dwayne allait s'en saisir sur le manteau de la cheminée, quand Marcia s'écria :

— Oh, mon Dieu, vous avez dit « scar free » ? C'est bien ce que vous avez dit ? Ça signifie effectivement quelque chose.

Keisha cessa de triturer la casquette.

— Quoi ?

— C'était une clinique, précisa Marcia doucement.

— Une clinique ?

— Ils faisaient des traitements au laser, ce genre de chose.

— En quoi cela pourrait avoir un rapport avec votre fils, madame Taggart ?

Marcia s'était troublée.

1. *Scar free* : « sans cicatrice ».

— Ils louaient… Je possède plusieurs biens immobiliers. Des immeubles de placement, des locaux commerciaux que je loue. J'ai loué des bureaux à la Scar Free Clinic, juste après le Post Mall.

— J'ai dû faire erreur, dit Keisha. Votre fils ne pourrait pas se cacher dans une clinique.

— Non, mais celle-là a mis la clé sous la porte.

Le regard de Dwayne s'éclaira. Il adressa un regard approbateur à Keisha.

— C'est pour cette raison que vous venez de voir les classeurs vides.

— Justin aurait-il pu se procurer les clés de cet établissement ? demanda Keisha.

— Je suppose que c'est possible, admit Marcia. Mais attendez une minute.

Elle se leva du canapé et sortit de la pièce en coup de vent.

— Elle a un bureau dans la maison où elle garde les clés des différents biens qu'elle a en location, expliqua Dwayne. Vous croyez qu'il pourrait être là-bas ? C'est ce que vous sentez ? C'est la vision que vous avez ?

— S'il vous plaît, avertit Keisha. Ne vous emballez pas. J'ai ces petits flashs, je vois des choses, mais ce n'est peut-être pas la chose qui…

— Elles ont disparu ! cria Marcia d'une autre partie de la maison. Les clés ont disparu !

— Il y a autre chose, poursuivit Keisha. Je n'arrête pas de le voir les yeux fermés.

Elle marqua un temps d'arrêt.

— Peut-être qu'il est juste endormi.

Tous trois se rendirent sur place dans la Range Rover de Dwayne. Marcia, folle d'inquiétude, se tordait les mains dans le siège passager. Dwayne actionna les essuie-glaces pour chasser la neige du pare-brise.

— Pourquoi dort-il ? n'arrêtait pas de demander Marcia. Qu'est-ce que ça veut dire ?

— Je l'ignore, répondit doucement Keisha à l'arrière. Mais je crois qu'on devrait se dépêcher.

— Tu ne peux pas aller plus vite ? s'emporta Marcia.

— Les routes sont glissantes ! objecta Dwayne.

— C'est un 4 × 4, nom de Dieu !

Les anciens locaux de Scar Free se trouvaient au premier étage d'un immeuble de bureaux qui en comptait trois. Ils se précipitèrent tous les trois dans le hall, et, après avoir attendu l'ascenseur dix secondes, Marcia perdit patience. Elle s'engouffra dans un couloir, poussa une porte marquée « escalier » et se hâta de monter l'unique volée de marches.

Arrivés au premier étage, ils se retrouvèrent face à la porte d'un cabinet d'experts-comptables. « Par ici », indiqua Marcia, qui tourna à gauche, courut jusqu'au bout du couloir et s'arrêta devant une porte en verre dépoli portant l'inscription « Scar Free Clinic » en lettres noires. Quelqu'un avait écrit FERMÉ au marqueur sur une feuille de papier scotchée sur la vitre.

— Je n'ai pas la clé, je n'ai pas la clé, s'affola Marcia. Comment je suis censée entrer ?

Dwayne tenta d'ouvrir la porte, dans le cas peu probable où elle n'aurait pas été verrouillée. Sans succès.

— Reculez, leur intima-t-il en bombant le torse.

— Je peux me tromper, dit Keisha. Il se peut qu'il ne soit pas là.

Mais Dwayne ne l'écoutait pas. Il se pencha en arrière, souleva la jambe et enfonça la vitre avec le talon. Le verre tomba par terre en produisant le vacarme d'une centaine de cymbales. Quelques secondes plus tard, la porte du cabinet comptable s'ouvrit brusquement et un homme petit et costaud portant une chemise blanche et une cravate noire ultrafine les considéra avec inquiétude.

— Qu'est-ce que c'est que… ? Marcia ?

— Tout va bien, Frank.

Elle passa la main à travers la porte cassée pour tourner le verrou. La porte balaya des éclats de verre quand elle la poussa à l'intérieur de la pièce. Leurs chaussures firent craquer les débris quand ils entrèrent.

— Justin ? appela Marcia.

Pas de réponse.

Les lieux correspondaient à la description très succincte qu'en avait faite Keisha : ils étaient déserts. Des rayonnages vides, des classeurs à moitié ouverts, sans rien à l'intérieur. Pas de posters de paysages impersonnels, ni de diplômes, ni quoi que ce soit d'autre sur les murs.

Mais par terre, plusieurs emballages de fast-food éparpillés. Un carton à pizza, une boîte de Big Mac encore tachée de sauce. Plusieurs canettes de bière vides.

— Quelqu'un est venu ici, constata Dwayne. Quelqu'un a vécu ici.

Il y avait une entrée spacieuse, puis un petit couloir qui desservait quatre salles d'examen. Marcia s'avançait dans cette direction, ouvrant une porte, puis une autre, Dwayne et Keisha la suivant de près.

Elle ouvrit la dernière porte et poussa un cri :

— Oh, mon Dieu !

Une seconde plus tard, Keisha et Dwayne la trouvèrent à genoux à côté de Justin, lequel était étendu par terre, vêtu d'un jean et d'un tee-shirt noir, pieds nus. Ses chaussures et ses chaussettes étaient éparpillées çà et là près de lui, et un manteau d'hiver avait été roulé et glissé sous sa tête en guise d'oreiller.

Les yeux du jeune homme étaient fermés.

Un flacon de médicament opaque de couleur orangée était renversé près de sa tête. Dwayne se plia en deux, une jambe tendue en arrière, et s'en saisit.

— Marcia, dit-il, ce ne sont pas les somnifères que tu prenais il y a un an ?

— Justin ! dit-elle. Réveille-toi !

— Le flacon est plein, constata-t-il. On dirait qu'il n'en a pris aucun.

— Qu'est-ce qui se passe ? marmonna Justin en émergeant.

Marcia l'attira dans ses bras.

— Est-ce que ça va ? Tu vas bien ?

— Ça va, répondit-il d'une voix endormie. Je suis désolé, désolé, maman. Tellement désolé.

Dwayne avait vu autre chose par terre. Une feuille de papier, sur laquelle était griffonné quelque chose. Il s'en saisit, lut ce qu'il y avait écrit, et la tendit à Keisha sans prononcer un mot.

« Je sais que j'ai été vraiment chiant, maman. Tu vivras peut-être mieux à présent. »

— Ça alors, souffla Keisha.

Dwayne secoua la tête en regardant le flacon dans sa main.

— Mon Dieu, si on était arrivés quelques minutes plus tard…, murmura-t-il à son tour.

— Justin, écoute-moi, dit Marcia. Est-ce que tu as pris quelque chose ? Est-ce que tu as pris des pilules ?

— Non, non, j'ai juste… j'ai juste bu quelques bières, c'est tout. J'allais les prendre plus tard, peut-être. Je ne sais pas. Je ne sais pas ce que j'allais faire. Je suis désolé de t'avoir fait peur.

Marcia se cramponna à lui et se mit à sangloter. Avant de s'agenouiller à côté de sa femme et de les enlacer elle et son beau-fils, Dwayne dit à Keisha :

— Je ferai le nécessaire pour que vous receviez votre argent cet après-midi.

Keisha Ceylon sourit avec modestie.

Justin enlaça faiblement sa mère et son beau-père. Il avait le visage enfoui dans le cou de sa mère, les yeux fermés. Puis ils s'ouvrirent et se fixèrent sur Keisha.

Justin lui fit un clin d'œil.

Et Keisha le lui rendit.

2

Ellie Garfield avait rêvé qu'elle était déjà morte. Mais juste avant que le rêve devienne réalité, elle se réveilla.

Avec le peu d'énergie qui lui restait, elle essaya de bouger, mais elle était attachée, entravée d'une manière ou d'une autre. Elle souleva à grand-peine une main ensanglantée de ses cuisses et toucha la sangle qui lui barrait la poitrine, palpa sa texture familière, son aspect lisse. Une ceinture de sécurité.

Elle était dans une voiture. Elle était assise à l'avant d'une voiture.

Elle regarda autour d'elle et se rendit compte qu'il s'agissait de son propre véhicule. Mais elle ne se trouvait pas au volant. Elle était attachée sur le siège passager.

Elle cligna deux fois des yeux, pensant avoir un problème de vue parce qu'elle ne distinguait rien derrière le pare-brise. Il n'y avait rien à l'extérieur. Pas de route. Pas d'immeubles. Pas d'éclairage.

Elle comprit alors que ce n'était pas un problème de vue.

Il n'y avait vraiment rien dehors. Seulement des étoiles.

Elle les voyait scintiller dans le ciel. C'était une belle soirée, si elle faisait abstraction de tout ce sang qui s'écoulait de son corps.

Elle avait du mal à garder la tête levée, mais avec ses dernières forces, elle embrassa du regard l'austérité, l'étrangeté de ce qui l'entourait, et se demanda si elle n'était peut-être pas en fait déjà morte. C'était peut-être le paradis. Ce calme. Tout ce blanc. Dans le ciel sans nuages, un croissant de lune illuminait le paysage, qui était parfaitement plat et s'étendait à l'infini. Elle se dit qu'il était davantage lunaire que terrestre.

La voiture était-elle garée dans un champ recouvert de neige ? Au loin, elle crut distinguer quelque chose. Une lisière sombre et irrégulière qui courait de manière rectiligne sur l'étendue blanche. Des arbres, peut-être ? L'épaisse ligne noire avait presque l'aspect d'un... rivage.

— Qu'est-ce que... ? murmura-t-elle.

Peu à peu, elle commença à *comprendre* où elle était. Non, pas *comprendre*. Elle commençait à *concevoir* où elle était, mais elle n'arrivait pas à *comprendre* ce qu'elle faisait là.

Elle était sur de la glace.

La voiture était posée sur un étang gelé. Ou peut-être un lac. Et assez loin du bord, pour autant qu'elle puisse en juger.

— Non, non, non, non, non, se répéta-t-elle en s'efforçant de réfléchir.

C'était la première semaine de janvier. L'hiver avait été lent à démarrer, et les températures n'avaient commencé à plonger qu'une semaine ou deux auparavant, juste après Noël. Il avait peut-être fait assez froid pour que le lac commence à geler, mais certainement pas assez longtemps pour que la glace puisse supporter une…

Crac !

Elle sentit l'avant de la voiture s'incliner presque imperceptiblement. De deux ou trois centimètres tout au plus. C'était logique. La voiture était plus lourde à l'avant, puisque c'était là que se trouvait le moteur.

Il fallait qu'elle descende. Si la glace avait pu supporter quelque chose d'aussi lourd qu'une voiture, du moins jusqu'à maintenant, elle le serait certainement pour supporter son poids si elle parvenait à s'en extraire. Elle pourrait commencer à marcher, dans la direction qui la conduirait sur la rive la plus proche.

À condition qu'elle soit en état de marcher.

Elle toucha son ventre. Chaud et mouillé. Combien de fois avait-elle été poignardée ? C'était bien ce qui s'était passé, non ? Elle se rappelait avoir vu le couteau, la lame accrochant la lumière, et puis…

On l'avait frappée deux fois. De cela, elle était presque certaine. Elle se rappelait avoir baissé les yeux, regardé avec incrédulité le couteau s'enfoncer en elle la première fois, puis ressortir, la lame cramoisie. Mais elle n'était restée sortie qu'un instant avant de transpercer sa peau et de s'enfoncer une seconde fois.

Après cela, tout était devenu noir.

Elle était morte.

Enfin, presque.

On avait cru qu'elle l'était quand on l'avait attachée dans la voiture, puis conduite ici, au milieu du lac. Où son agresseur avait dû penser que la voiture briserait bientôt la glace et coulerait au fond.

On pouvait découvrir une voiture avec un cadavre à l'intérieur dans un lac près de la rive.

Mais une voiture avec un cadavre à l'intérieur qui coulait au beau milieu du lac : quelle était la probabilité que quelqu'un le découvre un jour ?

Il fallait qu'elle trouve la force en elle. Il fallait qu'elle descende de cette voiture maintenant, avant qu'elle soit engloutie. Avait-elle son portable ? Si elle pouvait appeler à l'aide, on pourrait venir la chercher, elle n'aurait pas à marcher jusqu'à la…

Crac !

La voiture piqua brusquement du nez. Elle penchait de telle manière que ce n'était plus la rive qu'elle voyait à travers le pare-brise mais la glace saupoudrée de neige. La lune dispensait suffisamment de lumière pour qu'elle distingue l'habitacle de la voiture. Où était son sac ? Il fallait qu'elle trouve son sac. C'était là qu'elle rangeait son portable.

Pas de sac.

Aucun moyen d'appeler à l'aide. Personne ne viendrait la sauver. Il était donc encore plus crucial qu'elle sorte de cette voiture.

Maintenant.

Elle tendit la main sur le côté, cherchant le bouton-poussoir permettant de libérer la ceinture. Elle le trouva, pressa fort avec le pouce. La sangle commença à s'enrouler, accrochant brièvement son bras. Elle s'en libéra en se tortillant et la ceinture disparut dans le montant central entre les portières avant et arrière.

Crac!

Elle saisit la poignée de la portière et tira. La portière s'entrouvrit à peine. Suffisamment pour qu'une eau glacée s'engouffre autour de ses pieds.

— Non, non, chuchota-t-elle.

Froide. Si froide.

Alors que l'eau se précipitait dans l'habitacle en tourbillonnant, la voiture s'inclina davantage, ce qui allait advenir devenant horriblement évident. Les mains sur le tableau de bord, elle s'arc-bouta tandis que son univers se mettait à sombrer. Elle retira sa main droite du tableau de bord et s'en servit pour pousser la portière, mais impossible de l'ouvrir davantage. Le bas de la portière était coincé par la glace.

— S'il vous plaît, non.

Le dernier craquement qu'elle entendit fut le plus bruyant. Il résonna au-dessus du lac comme un coup de tonnerre.

L'avant de la voiture plongea. L'eau s'engouffra. Recouvrit ses genoux. Puis monta jusqu'à sa taille. Le pare-brise devint noir.

En quelques secondes, l'eau lui arriva au cou.

La douleur intense, là où le couteau l'avait transpercée à deux reprises, s'estompa. Son corps s'engourdit peu à peu.

Tout devint très noir, et très froid, puis, d'une étrange façon, très calme.

Ses dernières pensées furent pour sa fille, et pour son bébé qu'elle ne verrait jamais.

— Melissa, dit-elle tout bas.

Et la voiture disparut.

3

Le problème, c'était que, d'ordinaire, Keisha travaillait seule.

Bon, d'accord, parfois elle demandait à son petit copain Kirk de se tenir prêt à prendre un appel le cas échéant, afin de fournir un témoignage à un client encore sceptique. Mais autrement, elle aimait faire cavalier seul. La seule façon de garder le contrôle était de gérer tous les détails soi-même.

Associer quelqu'un à la combine était risqué, *a fortiori* quelqu'un sans grande expérience. Mais l'argent se faisait rare ces derniers temps, entre Kirk qui n'avait pas repris le travail, sa voiture qui avait besoin d'un nouveau train de pneus – elle roulait avec trois pneus complètement lisses depuis des mois ; et Matthew à qui on devait arracher deux dents. Keisha ne pouvait pas faire la fine bouche, et d'ailleurs, elle se disait que Justin Wilcox avait autant à perdre qu'elle, peut-être même plus, en faisant foirer cette arnaque visant sa mère et son beau-père.

Elle devait le reconnaître, le gamin était doué. Non seulement il avait conçu toute la combine, mais il avait joué sa partition à la perfection. Il avait entendu parler de Keisha par un de ses anciens profs de lettres du lycée, Terry Archer, qui s'était laissé persuader de raconter à sa classe certains détails de ce qui était arrivé à sa femme Cynthia, dont la famille avait disparu alors qu'elle n'avait que quatorze ans, et dont on était resté sans nouvelle pendant vingt-cinq ans.

Cela avait fait les gros titres à l'époque, quand on avait découvert ce qui s'était vraiment passé. Même CNN en avait parlé. Archer avait dit à ses élèves qu'un fait divers tel que celui-là attirait toutes sortes de gens surgis de nulle part, ce qui l'avait amené à leur parler de la voyante de Milford qui prétendait savoir ce qui était advenu de la famille de Cynthia. Elle regardait les informations, traquait des gens prêts à tout pour obtenir des informations sur leurs proches disparus, et alors fondait sur eux et offrait de réunir la famille à nouveau. Après leur avoir fait cracher un millier de dollars, bien entendu.

Keisha se rappelait certainement Terry Archer. Elle aurait eu du mal à l'oublier. Ils lui avaient souverainement déplu, lui et sa femme. Quand elle était passée avec eux à la télévision – une chaîne allait diffuser un reportage sur son incroyable vision –, et lors de sa seconde visite à leur domicile, quand ils l'avaient littéralement jetée dehors.

Essayez donc d'aider les gens. « Une bonne action ne reste jamais impunie », avait coutume de dire sa mère.

Justin lui avait indiqué qu'il se rappelait son histoire avec les Archer. Il se trouvait que son nouveau beau-père, Dwayne, se laissait facilement embobiner par ce genre de trucs. Il était convaincu que certaines personnes possédaient réellement cette faculté, sentaient des choses inaccessibles aux autres. Il regardait même les rediffusions de *Ghost Whisperer*, ce qui rendait sa mère folle. Marcia disait qu'elle pourrait probablement aussi inciter les morts à communiquer avec elle si elle se baladait tout le temps en robe courte dos nu comme Jennifer Love Machintruc.

— Il y a certaines choses, avait évidemment rappelé Dwayne à sa femme, que nous ne sommes pas censés comprendre.

Justin avait dit à Keisha que c'était à peu près à ce moment-là que l'idée avait germé dans sa tête. Mais qu'il s'était vraiment décidé quand sa mère lui avait coupé les vivres. Elle lui donnait, au maximum, cinquante dollars par semaine, sans poser de questions, mais avec ça, on ne pouvait même pas se payer une virée en ville. Comment était-on censé payer sa bière, son herbe, ou peut-être un truc un peu plus fort, et quelque chose à manger ? Il avait essayé de dire à sa mère, sans toutefois mentionner la bière et l'herbe, que cinquante dollars représentaient peut-être un an de salaire quand elle était gamine et qu'on la baladait en Ford T, mais que, aujourd'hui, ça ne suffisait même pas pour faire un demi-plein.

« Alors trouve-toi un travail », lui avait rétorqué Marcia.

C'était donc comme ça qu'elle comptait la jouer.

Pendant un moment, il s'était débrouillé pour lui soutirer cent dollars par-ci, cent dollars par-là à force de cajoleries. Un jour, il lui avait annoncé qu'il songeait à reprendre ses études, ce qui avait fait naître un sourire sur le visage de sa mère. Il avait quitté l'université du Connecticut après le premier semestre. Les fêtes étudiantes, il avait adoré, mais il avait trouvé l'obligation d'aller en cours très contraignante. Il lui avait raconté qu'il s'était mis du plomb dans la tête et envisageait de s'inscrire dans une école de commerce à Manhattan. Il y en avait plusieurs qu'il avait envie de passer voir. Il était temps d'apprendre quelque chose de *pratique*, pas ces trucs farfelus qu'on enseignait à la fac. Une douce musique à l'oreille de sa mère. Il avait donc besoin du prix du billet de train et de la course en taxi, et il allait peut-être devoir y passer la nuit. Elle lui avait refilé quatre cents dollars. Sans sourciller. Il n'avait jamais pris le train, mais était allé à une fête fabuleuse à New Haven et s'était écroulé ivre mort sur le parquet d'un pote de Yale. Une autre fois, après avoir annoncé à sa mère qu'il avait renoncé à son école de commerce, mais qu'il allait plutôt se trouver un travail, il avait dit qu'il avait besoin de nouveaux vêtements pour ses entretiens d'embauche. Il avait empoché l'argent qu'elle lui avait donné, et volé quelques articles dans une boutique Gap afin de prouver qu'il avait utilisé l'argent à bon escient.

Marcia lui avait demandé de passer ses nouveaux vêtements devant elle. Quand il les avait enfilés, il s'était rendu compte qu'il avait volé une taille S, alors que son mètre quatre-vingts exigeait un L. Pas de problème, lui avait dit sa mère. Elle avait demandé le reçu. Elle échangerait les articles pour la bonne taille la prochaine fois qu'elle irait au centre commercial.

— Ne t'embête pas avec ça, avait-il rétorqué. Je m'en chargerai.

Mais elle avait insisté.

—J'ai perdu le reçu, avait tenté Justin.

Nul besoin d'être Sherlock Holmes pour comprendre ce qu'il avait fait. C'était ça qui l'avait décidée à lui couper totalement les vivres. Y compris les cinquante dollars.

Trésorerie zéro.

Il n'avait aucun scrupule à piquer quelques fringues chez Gap, mais il n'allait pas se mettre à braquer les banques. Un poil trop risqué. Justin devait trouver un moyen de soutirer de l'argent à sa mère et son beau-père, parce que arnaquer sa famille, ce n'était pas vraiment du vol.

Encore fallait-il se montrer créatif.

Ce fut alors qu'il dénicha Keisha Ceylon sur Internet, prit son numéro et entra en contact avec elle. Entre quat'z'yeux, il lui exposa son plan. Lequel était assez simple.

—Je disparais. Ils font appel à vous. Vous me retrouvez. Ils vous paient. On partage.

Keisha y trouva une centaine de choses à redire.

—Supposez qu'ils ne veuillent pas m'engager ? Je me présente et ils me claquent la porte au nez.

—Ce n'est pas *vous* qui allez les appeler. Ce sont eux qui vont le faire. Enfin, c'est Dwayne, le nouveau mari de ma mère, qui s'en chargera. Ma mère, vous comprenez, elle est pas pressée d'appeler les flics, parce qu'elle va se dire que si je ne suis pas rentré à la maison, c'est que j'ai dû commettre un truc terrible, comme voler un DVD à Best Buy, casser la vitre d'une voiture de flic ou arracher la tête d'un écureuil avec les dents. Si elle appelle les flics et qu'ils me trouvent, j'aurai encore plus d'ennuis, et quand j'ai des ennuis, ça signifie plus de contrariétés pour elle, expliqua-t-il avec un grand sourire. Mais Dwayne, lui, il est à fond dans le genre de conneries que vous faites, sans vouloir vous offenser.

Keisha ne souffla mot.

Justin poursuivit :

— Je lui suggérerai l'idée. La prochaine fois qu'on matera *Ghost Whisperer*. Je lui dirai, hé, il y a une dame, ici à Milford, qui fait ce genre de truc. Je lui préciserai que mon prof nous a parlé de vous.

— Terry Archer.

— Ouais.

— Il n'a pas vraiment laissé de recommandation sur mon site Internet.

Pour dire la vérité, tous les témoignages de son site avaient été inventés.

— Je ne raconterai pas cette partie de l'histoire à Dwayne. Mais je lui enverrai un lien vers le site, comme ça, quand je disparaîtrai, il saura comment vous trouver. Qui sait, il se pourrait même qu'il vous appelle *avant*. Vu qu'il raconte qu'il reçoit des nouvelles de sa mère morte de temps en temps. Il est plutôt sympa, quoiqu'un peu barge sur les bords. Vous y croyez, vous, à ces conneries ? Qu'on peut entrer en contact avec les morts et leur parler ?

Elle savait qu'il ne servait pas à grand-chose de baratiner ce gamin, mais il lui était difficile d'admettre tout net que ce qu'elle faisait n'était que foutaises.

— Eh bien…

— Ouais, c'est ce que je pense aussi, dit-il avec un large sourire. En tout cas, quand j'aurai disparu, Dwayne se rappellera le lien que je lui aurai envoyé.

—Il se peut qu'il ne morde pas à l'hameçon, objecta Keisha en secouant la tête. Il se peut qu'il ne m'appelle jamais.

—Je suis sûr que vous vous trompez, mais le pire qui puisse arriver dans ce cas-là est que je sois obligé de rentrer et de trouver un autre moyen de leur taxer du fric. Mais si ça marche, vous m'enverrez un SMS pour me dire que c'est parti. Non, attendez, ça laisse des traces. Je prendrai contact en appelant d'une cabine publique.

Elle réfléchit à sa proposition.

—Il y a un autre problème.

—Lequel?

—Il n'y a pas assez d'argent à la clé. D'habitude, je demande mille dollars. C'est se donner bien du mal pour partager cette somme en deux.

Justin lui lança un sourire compatissant.

—Vous visez trop bas. Dwayne et ma mère, ils ont du fric tous les deux. Ce serait les insulter de les escroquer seulement de mille dollars. Vous pourriez les taper de cinq mille au moins.

Si elle faisait moitié-moitié avec le gamin, ça lui laissait deux mille cinq cents, nets d'impôt, parce que c'était évidemment le genre de transaction qui se réalisait de la main à la main. Pas mal pour ce qui représenterait, au final, une journée de labeur. Difficile de dire non à un boulot aussi simple, même s'il fallait pour cela prendre un partenaire. Et ce n'était pas comme si des gens disparaissaient tous les jours et qu'elle puisse proposer ses talents particuliers à toutes ces familles.

Quand on était une fille, il fallait bien gagner sa vie. Si rien ne se présentait bientôt, elle devrait refaire des ménages, et elle n'avait pas envie de se tamponner à nouveau ces riches garces de Darien, qui faisaient une attaque quand elles rentraient chez elles et trouvaient un Cheerio ramolli dans la bonde de l'évier.

C'était peut-être la récession, mais, ces derniers temps, elle avait eu moins de clients pour beaucoup des services qu'elle proposait. Elle faisait les lignes de la main, tirait les cartes, organisait des séances de spiritisme. Elle ajoutait une pincée d'astrologie si c'était ça qui les branchait. Quand vous avez une imagination fertile, ce n'est pas bien sorcier, en fait. Vous devez juste broder un petit peu.

Des années auparavant, Keisha faisait le ménage pour une femme – une gentille dame, celle-là –, qui avait travaillé autrefois à la rédaction d'un quotidien de l'Ouest. Trois semaines de la rubrique astrologique à laquelle le journal était abonné s'étaient perdues au courrier, si bien que la dame l'avait rédigée elle-même, en racontant ce qui lui passait par la tête. «Prenez le deuxième bus, pas le premier.» «Une bonne journée pour investir dans l'amitié.» «Faites une bonne action, vous serez récompensé au centuple.» Rien de bien sorcier. Le journal avait même reçu quelques appels de satisfaction pour dire que les derniers horoscopes avaient vraiment vu juste. Si cette dame avait pu le faire, pourquoi pas elle?

Elle pouvait compter sur quelques fidèles, telle Penny, une dame de quatre-vingt-deux ans complètement timbrée à qui elle allait rendre visite chaque semaine pour que la vieille puisse parler avec l'enfant dont elle avait avorté à l'âge de dix-sept ans.

Elle lui refilait une centaine de dollars chaque fois parce que Keisha lui racontait exactement ce qu'elle voulait entendre.

— Votre enfant vous pardonne, elle est même reconnaissante. Ce n'est pas un monde dans lequel elle voulait grandir.

Et il y avait Chad, l'homo qui tenait une boutique de produits diététiques à Bridgeport et voulait qu'on lui lise les lignes de la main chaque fois qu'il était sur le point d'entamer une nouvelle relation, ce qui arrivait souvent. Ou Gail, une de ses clientes les plus demandeuses et les plus nanties, qui croyait avoir été, dans une vie antérieure, soit une reine d'Égypte, Mary Todd, l'épouse d'Abraham Lincoln, ou encore Jeanne d'Arc. Keisha arrivait à caser au moins une visite tous les quinze jours, et serait venue chez elle encore plus souvent si Jerry, son mari, n'avait pas mis un frein à ses dépenses inconsidérées.

Tout cela suffisait pourtant à peine à payer les factures, surtout que son copain, Kirk, qui habitait chez elle, n'était pas capable de faire grand-chose depuis qu'il s'était fait tomber un parpaing sur le pied cinq mois auparavant. Le pied était quasiment guéri. Kirk ne boitait presque plus à présent sauf quand il voulait trouver une excuse pour ne pas faire quelque chose, comme sortir la poubelle, ou dégager l'allée à la pelle quand la voiture de Keisha était coincée par la neige.

Il n'avait pas toujours été comme ça.

D'accord, elle devait l'admettre, ça n'avait jamais été une lumière. Beaucoup de plaisanteries lui échappaient, à moins qu'il n'y soit question de nichons, et il avait demandé un jour comment ils

42

retiraient les os des nuggets de poulet. Mais Kirk semblait être un type gentil quand elle avait fait sa connaissance treize mois auparavant. Elle sortait de chez Penny après lui avoir raconté que l'enfant dont elle avait avorté, eût-elle vécu et atteint l'âge adulte, aurait fini par faire un mariage très malheureux, et constata que son pneu arrière droit était à plat. Elle n'avait jamais crevé. On lui avait déjà volé des voitures, mais elle n'avait *jamais* crevé. Keisha ignorait s'il y avait une roue de secours dans le coffre, et, même s'il y en avait une, elle ne savait absolument pas comment la monter. Elle fixa le pneu du regard comme elle fixait les formules griffonnées au tableau en cours de chimie au lycée.

Elle n'avait pas d'argent pour appeler une dépanneuse. Elle avait bien les cent dollars de Penny, mais elle en avait besoin pour les courses, et pour son loyer en retard. Ce fut sans doute pour cela qu'elle s'était mise à pleurer.

De l'autre côté de la rue, des ouvriers d'une entreprise de bâtiment remplaçaient la véranda vermoulue d'une des maisons centenaires de Milford. Un de ces gars, occupé à couper des planches pour la terrasse, remarqua le triste état de Keisha, posa sa scie sur la planche qu'il était en train de découper et s'approcha sans se presser.

Il se présenta sous le nom de Kirk Nicholson.

Kirk regarda dans le coffre mais ne trouva pas de roue de secours. Il y avait néanmoins un cric, dont il se servit pour retirer le pneu crevé. Il l'informa que son patron, un type sympa prénommé Glen, le laisserait probablement prendre sa pause déjeuner de bonne heure. Il apporterait la roue dans le garage

Firestone le plus proche avec son Ford 150 de 2003 – qu'il soit aussi impeccable pour un véhicule de chantier stupéfiait Keisha – afin qu'on puisse monter un nouveau pneu sur la jante. Il connaissait un gars là-bas, qui pourrait lui obtenir une ristourne. Ça ne devrait pas prendre longtemps. Ensuite il la raccompagnerait et remonterait la roue pour elle.

Pendant qu'ils attendaient au garage Firestone, Keisha apprit que la mère de Kirk, qui l'avait élevé toute seule, était morte récemment d'une crise cardiaque. Il n'avait ni frères ni sœurs. Il lui parla de Glen, l'homme pour qui il travaillait, dont la femme Sheila était morte dans un accident de voiture, et qui élevait seul leur fille. Puis il parla de son pick-up, une très bonne affaire, sur lequel il avait effectué un certain nombre de réparations lui-même, et qu'il équiperait de jantes haut de gamme quand il aurait mis assez d'argent de côté.

Keisha aurait préféré savoir s'il fréquentait quelqu'un. Elle lui posa une question vraiment futée, du genre : « Et votre copine, elle aime votre pick-up ? » À quoi il répondit qu'il ne voyait personne en ce moment. Il se montra patient, et courtois, et ne lui fit pas la moindre avance. Quand il eut fini de remplacer le pneu sur sa voiture et de ranger le cric dans le coffre, Keisha lui dit qu'il était cordialement invité à dîner.

Le soir même.

Il accepta l'invitation.

Kirk paraissait même apprécier Matthew, neuf ans à l'époque, qui était à table avec eux pendant que Keisha servait des spaghettis et des boulettes de viande. Il emmena le garçon faire un tour dans son pick-up, laissa Matthew lui montrer à quel point il était fort à un de ses jeux vidéo. Après que le garçon était allé se coucher, à dix heures, Keisha avait ouvert deux bières, et Kirk et elle s'étaient assis sur le canapé pour regarder une série télé avec Charlie Sheen, celle dans laquelle il jouait avant de péter un câble et de se faire virer.

— Il s'endort très vite, fit savoir Keisha, et il a un bon sommeil.

Kirk n'était pas lent au point de ne pas comprendre où elle voulait en venir. Il commença à dormir chez elle cette nuit-là. Un mois plus tard, il avait laissé son appartement et s'était installé avec Keisha et Matthew.

C'était parfait. Au début. C'est si bien d'avoir un homme à la maison, de tendre le bras et de sentir quelqu'un dans le lit à ses côtés, de se bousculer dans la cuisine, de se pelotonner sur le canapé pour regarder la télé. Keisha continuait à attendre qu'il s'acquitte de sa part du loyer. Elle ne comptait même pas sur la moitié. Après tout, elle avait Matthew. Elle espérait juste le tiers.

Pour finir, au bout d'un mois et demi, elle trouva le courage de lui demander.

— Ça tourne au ralenti au boulot, se justifia-t-il. Glen n'a eu besoin de moi que deux jours cette semaine. Et qui vous a emmenés au Burger King vendredi soir ? J'ai même laissé le p'tit con prendre un dessert.

C'était la première fois qu'il parlait de son fils en ces termes.

Un jour, Keisha rentra à la maison, quatre mois après que Kirk avait emménagé sans avoir jamais payé son écot, et là, dans le salon, elle découvrit quatre jantes en alliage destinées à son Ford F 150.

— L'hiver approche, expliqua-t-il, alors ça ne sert à rien de les monter sur le pick-up maintenant, et comme tu n'as pas de garage, elles seront bien ici jusqu'au printemps. Je vais acheter une étagère chez Ikea à New Haven, et les exposer juste là, près de la télé.

Peu de temps après cela, il s'était blessé au pied.

Malgré ses chaussures de sécurité, le parpaing avait atterri sur son pied droit et lui avait brisé deux os. Kirk avait dû quitter son travail et éviter de faire reposer son poids sur son pied jusqu'à ce qu'il se rétablisse. Son plus gros défaut jusqu'alors avait été sa mesquinerie, mais, ces derniers mois, il était devenu de plus en plus… méchant. Elle ne lui achetait pas assez de bière ! Comment avait-elle pu oublier de lui rapporter des Oreo ? Combien avait-elle gagné en lisant les lignes de la main et en tirant les cartes cette semaine, parce qu'il voulait sa part ? Et le gosse ? Il pouvait pas la mettre un peu en veilleuse ? Toujours à brailler et à courir partout et à le réveiller quand il essayait de faire la sieste. Et s'il touchait ses jantes encore une fois, ma parole…

Keisha, reine de l'arnaque divinatoire, s'était fait blouser. Embobiner. On lui avait fait prendre des vessies pour des lanternes. Kirk avait réussi à la convaincre qu'elle avait mis le grappin sur l'homme idéal, mais la réalité était que le grappin, c'était lui.

Bref, le plus important était que Keisha avait besoin d'argent. Si elle n'arrivait pas à mettre Kirk à la porte, il allait lui falloir assez de liquide pour déménager avec Matthew. La combine de Justin

Wilcox représentait une opportunité qu'elle était prête à saisir, même si quelque chose chez ce gamin lui donnait la chair de poule.

— Vous êtes sûr de réussir votre coup? demanda-t-elle à Justin.

— J'ai pris des cours de théâtre, précisa-t-il. Ce sera du gâteau. J'ai tout combiné. Ce que je me disais, c'est qu'après ce coup-là, on pourrait peut-être faire d'autres trucs ensemble. Vous avez sûrement besoin de quelqu'un qui vous aide à berner le client, non? La cible? C'est bien comme ça que vous les appelez, non?

— Le mauvais tour que vous voulez jouer à vos parents, c'est le genre de jeu qui ne se joue qu'une seule fois, l'avertit Keisha. Quand vous aurez dépensé cet argent, il faudra trouver un autre moyen pour en gagner davantage, mais ce sera sans moi.

— Si vous le dites. Mais quand vous allez voir des gens pour leur raconter que vous avez des visions sur ce qui est arrivé à leur proche disparu, ils sont forcément furieux après lorsqu'ils se rendent compte que vous vous êtes trompée?

— Qui a dit que je me trompais?

— Allez, ça restera entre nous.

— Il y a toujours quelque chose dans ce que je révèle à mes clients qui fait mouche d'une façon ou d'une autre. Je mets souvent le doigt sur un point sensible.

— Sauf que ça ne les aide pas vraiment à retrouver la personne qu'ils cherchent, rétorqua-t-il avec un grand sourire.

— Ce que je donne à tout le monde, pour des durées variables, c'est de l'espoir, se défendit Keisha.

— Ouais, mais ce qui sera vraiment bien avec ce qu'on est en train de préparer, c'est que, cette fois, vous allez retrouver le disparu. Ça va faire bien sur votre CV.

Ce boulot était derrière elle à présent.

Cela faisait une semaine qu'elle avait conduit Marcia et Dwayne Taggart jusqu'à la cachette de Justin dans ces bureaux déserts. Comme elle l'avait demandé, Dwayne l'avait payée en liquide plus tard dans la journée. Elle avait pris la part de Justin, l'avait mise dans un sac à sandwich étanche, avait glissé le sac de billets dans un petit Tupperware, l'avait noyé de sauce spaghetti, et l'avait mis au congélateur afin que Kirk ne tombe pas dessus. Comme il ne préparait jamais les repas, elle ne prenait aucun risque. Quant à sa part, elle avait menti à Kirk, lui racontant qu'elle ne s'était fait que mille dollars sur ce coup, dont il lui réclama la moitié. Elle avait caché les deux mille dollars restants dans une boîte de Tampax sous le lavabo.

Justin lui avait dit qu'il laisserait sans doute passer quelques jours avant de venir chercher son argent. Il savait que sa mère l'aurait à l'œil pendant un moment. Depuis qu'il avait volé les somnifères et qu'il lui avait laissé ce mot, elle était terrifiée à l'idée qu'il puisse se faire du mal.

Mais tôt ou tard, il s'échapperait. Il prévoyait un prompt rétablissement, psychologiquement parlant. Il raconterait au psy qu'il se portait comme un charme, que tout cela avait été provoqué par la relation difficile qu'il entretenait avec sa mère (il comptait la culpabiliser au maximum), mais qu'ils s'étaient rabibochés, qu'ils étaient au mieux tous les deux maintenant, que jamais il ne referait une chose pareille.

Sept jours plus tard, Keisha était en train de préparer le petit déjeuner de Matthew, la télévision de la cuisine allumée, le volume baissé. Kirk faisait la grasse matinée. La dernière fois qu'on l'avait réveillé trop tôt, il était entré dans la cuisine en clopinant, comme un ours avec la patte prise dans un piège, et avait balancé un verre contre le mur. Il avait fait une peur bleue à Matthew.

Keisha s'efforçait donc de ne pas faire de bruit de si bon matin, mais en même temps, comme elle aimait savoir ce qui se passait dans le monde, elle avait allumé la télé.

— Dépêche-toi, dit-elle à Matthew, ou tu vas être en retard à l'école.

Il faisait traîner son petit déjeuner, qui consistait en un toast recouvert d'une épaisse couche de beurre de cacahuètes.

— Tu as entendu ce que j'ai dit ?

— J'ai pas faim.

Keisha avait remarqué qu'il s'était montré particulièrement grognon ces derniers jours. Silencieux, renfermé, passant beaucoup de temps dans sa chambre.

Elle avait interrogé Kirk :

— Tu sais pourquoi il est si déprimé ?

— Ce que j'en sais, moi, ce qui cloche avec le p'tit con. Il est juste de mauvais poil, avait répondu Kirk, qui époussetait ses jantes en alliage exposées dans le salon.

49

Mais Keisha sentait que c'était plus sérieux que cela. Et là, au petit déjeuner, elle lui posa la question :

— Quelque chose te préoccupe ?

Matthew secoua la tête.

— Il y a un problème à l'école ?

— Tout va bien, dit-il. Je n'ai pas été gentil ces derniers temps ? J'ai fait quelque chose de mal ?

Elle n'eut pas à réfléchir.

— Non, tu as été gentil.

— Alors je ne vois pas où est le problème.

— Je me disais qu'aujourd'hui après l'école, on pourrait peut-être aller au Post Mall, t'acheter de nouvelles chaussures.

Elle pouvait sacrifier un peu de l'argent qu'elle avait planqué.

— Je me fiche d'avoir de nouvelles chaussures, dit Matthew. Je veux juste pouvoir rester ici avec toi.

— Tu veux rester à la maison après l'école aujourd'hui ?

— Non, tout ce que je veux, c'est pouvoir continuer à vivre ici.

— Mais qu'est-ce que tu me chantes ? Ça ne va pas bien dans ta petite tête.

— On ne part jamais en vacances, reprit Matthew. On devrait aller quelque part. Juste toi et moi. On pourrait aller voir ta cousine à San Francisco.

— Oui, enfin, Caroline ne jure peut-être que par toi, mais moi, je lui tape sur les nerfs. Tu dois t'activer. Va te laver les dents.

Le garçon prit une dernière bouchée de toast et quitta la cuisine en coup de vent. Keisha soupira et tourna son regard vers la télévision.

« *Nous avons eu un hiver plutôt clément jusqu'ici, pas trop froid, mais ça va changer dès demain et pendant tout le week-end à mesure que les températures vont chuter au-dessous de zéro. On nous avertit cependant que même s'il fait plus froid, les gens ne devraient pas se risquer sur les étangs et les petits lacs, que la glace n'est pas encore suffisamment épaisse et… »*

On sonna à la porte.

Keisha sortit de la cuisine pour aller ouvrir. C'était Justin, une main fourrée dans la poche, l'autre pianotant sur son portable. Son beau-père, Dwayne, était garé le long du trottoir dans sa Range Rover, moteur tournant pour que le chauffage continue à fonctionner. Il lui adressa un signe de la main.

— J'ai raconté à Dwayne que je voulais passer vous dire merci, indiqua Justin, qui mit fin à ses échanges de SMS et consacra toute son attention à Keisha.

— Entrez, dit-elle en lui faisant signe de la suivre dans la cuisine. Et baissez d'un ton. Mon copain dort.

Justin acquiesça de la tête, jeta un coup d'œil circulaire dans le salon en entrant dans la maison, son regard s'arrêtant un bref instant sur les quatre jantes en alliage posées sur des étagères d'aspect branlant. Il s'approcha pour les examiner, passa son index sur l'une d'elles, cherchant en vain de la poussière.

L'étagère vacilla légèrement.

— Nous, on a des livres sur nos étagères, fit-il remarquer.

— Venez dans la cuisine.

« *La police enquête sur deux braquages de magasins de spiritueux hier soir à Bridgeport. Retrouvons notre envoyé spécial à…* »

— Alors, demanda-t-elle, comment ça se passe ?

— Bien. Comme prévu, ils m'ont envoyé chez une psy. Ma mère veut que je la voie deux fois par semaine pendant un mois. Mais je peux survivre à ça. Ce qui est génial, c'est que ma mère est trop sympa avec moi. Elle m'achète des trucs, des jeux vidéo, des DVD. Je viens d'avoir toute la série originale des *Star Trek* en BLU-ray.

Il hocha la tête et sourit, impressionné par ce qu'il avait été capable d'accomplir.

— Tout baigne. Mais elle est toujours comme qui dirait près de ses sous.

Keisha ouvrit la porte du congélateur et en sortit le Tupperware.

— Voilà votre part.

— Hein ? dit-il en considérant le récipient congelé. Y a quoi là-dedans ? Des lasagnes ?

Elle ouvrit le robinet, retira le couvercle de la barquette, et fit couler de l'eau chaude sur le fond. La sauce tomba d'un bloc. Keisha la maintint sous le jet jusqu'à ce qu'elle se dissolve, découvrant le sac à sandwich rempli de billets.

— Putain, vous êtes comme une espionne, vous.

Keisha ouvrit le sac, sortit la liasse et la tendit à Justin.

« *Par ailleurs, on reste sans nouvelles d'une habitante de la région de Milford portée disparue jeudi soir.* »

— Génial, dit Justin en empochant l'argent au moment où Matthew entrait dans la cuisine.

— T'es qui ? interrogea le garçon.

— Je suis Justin.

— T'as combien d'applis là-dessus ? demanda Matthew en apercevant le téléphone dans sa main.

— Un bon paquet.

Il brandit le téléphone pour que le gamin puisse voir l'écran.

— J'ai des tas de jeux.

— Prends-moi en photo, dit Matthew. Ma mère dit qu'elle n'a aucune bonne photo de moi.

— Matthew, s'il te plaît, ce jeune homme…

— Ça va, assura Justin.

Il ouvrit l'application appareil photo et prit un cliché de Matthew. Il demanda ensuite l'adresse email de Keisha et lui envoya l'image, le téléphone produisant un *whoosh* à peine audible.

Keisha tendit à son fils un sac en papier contenant son déjeuner. Matthew enfila son manteau, ignora sa mère qui le suppliait de remonter la fermeture à glissière et de mettre ses moufles et son bonnet, et sortit par la porte d'entrée.

— Vous vous rappelez ce que je vous ai dit l'autre jour ? demanda Justin, une fois le gamin parti. Qu'on pourrait tenter autre chose, vous et moi ? Je veux dire, on s'est bien débrouillés la dernière fois, non ? C'était marrant. J'aurais dû faire mon stage d'observation avec vous dans le cadre de la journée des métiers quand j'étais au lycée.

— Je vous l'ai dit, nous deux, c'est fini. Vous avez eu une bonne idée, elle a payé, et maintenant, c'est terminé.

Elle ne voulait plus rien avoir à faire avec lui. Il y avait quelque chose qui clochait avec ses connexions internes.

—Bon, OK, d'accord.

À la télévision, un homme, le bras passé autour des épaules d'une jeune femme, parlait de son épouse. Disant qu'il voulait qu'elle revienne à la maison. Que si, parmi les gens qui regardaient le reportage, quelqu'un savait quoi que ce soit sur ce qui s'était passé…

—Bon, en tout cas, merci. Je ferais mieux d'y aller. Je peux pas faire poireauter Dwayne plus longtemps…

—Chut, fit Keisha, en regardant le reportage. Au bas de l'écran s'affichait le message suivant : *Wendell et Melissa Garfield : « Maman, rentre à la maison. »*

—Ouah ! s'exclama Justin en regardant l'écran. Vous avez un client potentiel ?

—Ne faites pas attendre votre beau-père, dit-elle avant de le raccompagner à la porte.

Le temps qu'elle retourne dans la cuisine, ils étaient passés au sujet suivant.

4

Keisha Ceylon regarda fixement la maison et se dit qu'elle possédait peut-être effectivement un petit don de voyance. Parce qu'il y avait des moments où elle pensait pouvoir deviner, rien qu'en regardant un lieu, s'il y avait de la souffrance derrière les murs. Même ceux d'une maison où les stores avaient été baissés et inclinés de manière que personne ne puisse voir à l'intérieur.

Elle était dans la voiture, le moteur tournait, et les dégivreurs asthmatiques parvenaient tout juste à désembuer les vitres. Keisha était certaine que ce qu'elle savait déjà n'influait pas sur ses impressions concernant la maison. Si elle s'était promenée dans le quartier, et avait simplement jeté un regard à cette maison, elle aurait tout de même détecté quelque chose.

Du désespoir. De l'angoisse, certainement. Peut-être même de la peur.

Elle songea à ce que cet homme, ce M. Garfield, devait endurer. Comment faisait-il face ? Espérait-il encore que la police retrouve sa femme ? Commençait-il à perdre confiance ? Leur avait-il jamais fait confiance ? En était-il arrivé au stade où il serait prêt à envisager d'autres options ? Serait-il suffisamment désespéré pour accepter, et rétribuer, le service très spécial qu'elle était en mesure de fournir ?

Keisha était sûre d'avoir choisi le bon moment. L'homme était passé devant les caméras la veille. On l'avait vu partout aux infos pendant la matinée. C'était un signe de désespoir, de s'adresser aux médias. Cela signifiait certainement que la police faisait du surplace. C'était toujours le meilleur moment pour intervenir. Il ne fallait pas trop tarder. Si vous hésitiez, la police pouvait très bien trouver un corps, auquel cas, il ne se trouverait plus personne pour avoir besoin d'être guidé par les visions de Keisha Ceylon.

Tout était une question d'espoir, comme elle l'avait confié à Justin. Il fallait entrer en contact avec ces gens pendant qu'ils en avaient encore. Tant qu'ils avaient de l'espoir, ils étaient prêts à tenter n'importe quoi, et à dépenser leur argent sans compter. C'était particulièrement vrai quand toutes les méthodes conventionnelles – enquête de voisinage, chiens renifleurs, patrouilles aériennes, battues organisées par les habitants du quartier – n'avaient rien donné. C'était à ce moment-là que les proches étaient ouverts au non-orthodoxe. Par exemple à une gentille dame qui se présentait à leur porte et leur disait : « J'ai un don, et je veux le partager avec vous. »

Moyennant finance, naturellement.

Ce jour-là, la personne disparue se nommait Eleanor Garfield. Les bulletins d'informations décrivaient une femme blanche âgée de quarante-trois ans, d'un mètre soixante pour soixante-huit kilos environ, avec les cheveux noirs coupés court et les yeux marron.

Tout le monde l'appelait Ellie.

Elle avait été vue pour la dernière fois, selon son mari Wendell, le jeudi soir, vers sept heures. Elle avait pris sa voiture, une Nissan gris métallisé, avec l'intention d'aller à l'épicerie acheter ce dont ils avaient besoin pour la semaine à venir. Ellie Garfield occupait un poste administratif au sein du conseil scolaire local, et elle n'aimait pas attendre le week-end pour faire toutes ses courses. Elle voulait un samedi et un dimanche sans corvées. Et dans son esprit, le week-end commençait en fait le vendredi soir.

Le jeudi soir était donc consacré aux commissions.

Ainsi, le vendredi soir venu, à en croire tout ce que Keisha avait lu et vu sur Internet ou à la télévision, elle pouvait se prélasser longuement dans un bain chaud. Après quoi, elle se glissait dans son pyjama et son peignoir roses et s'installait devant la télévision. C'était surtout pour le bruit de fond, parce qu'elle posait rarement les yeux sur l'écran. Elle se concentrait avant tout sur son tricot.

Cela avait toujours été un passe-temps pour elle, même si elle y avait été moins fidèle ces dernières années. Mais d'après un des journalistes qui avaient tenté de cerner sa personnalité, Ellie avait repris les aiguilles en apprenant qu'elle allait être grand-mère. Elle avait confectionné des bottillons, des chaussettes et quelques pulls. « Je tricote comme une folle », avait-elle dit à une de ses amies.

Mais cette semaine-là, Ellie Garfield n'avait pas eu son vendredi soir.

Pas plus, selon tous les témoignages, qu'elle n'était allée au magasin le jeudi. À l'épicerie, où on la connaissait de vue, sinon de nom, aucun employé ne se rappelait l'avoir remarquée ce soir-là. Rien n'attestait non plus que sa carte de crédit, qu'elle préférait aux espèces, avait été utilisée dans ce magasin ni dans aucun autre. Ni qu'elle avait été utilisée depuis. Les caméras de surveillance pointées sur le parking du magasin n'avaient pas repéré sa voiture.

D'après ce que Keisha avait pu glaner, la police ne savait pas quoi en penser. Ellie avait-elle été victime d'un acte criminel ? Avait-elle d'abord eu l'intention d'aller à l'épicerie et quelqu'un l'avait-elle empêchée d'arriver jusque-là ? Ou bien était-il possible qu'elle se soit volatilisée de son propre chef ? Les bulletins d'informations ne donnaient pas toutes les réponses aux questions qui se bousculaient dans l'esprit de Keisha. Cette femme avait-elle une liaison ? Était-elle partie retrouver son amant ? S'était-elle réveillée ce matin-là en décidant qu'elle en avait assez de la vie conjugale ? Était-elle montée dans sa voiture et avait-elle roulé sans s'arrêter, sans se soucier de savoir où elle allait ?

Elle n'aurait certainement pas été la première.

Or elle n'avait aucun antécédent en la matière. Elle n'avait jamais pris la fuite, pas même une demi-journée. Son mariage, selon toute apparence, était solide. Et puis il y avait l'histoire du bébé de sa fille, à qui elle avait déjà tricoté tout un trousseau. Quelle femme disparaît à la veille d'un événement pareil ?

La police envisageait l'hypothèse d'un braquage de voiture qui aurait mal tourné. Il y avait eu trois incidents de ce genre l'année précédente au cours desquels des conductrices arrêtées à un feu rouge avaient été arrachées à leurs véhicules. L'auteur – on soupçonnait qu'ils étaient tous les trois l'œuvre du même homme – avait ensuite filé avec les voitures. Mais aucune des victimes, bien que secouées, n'avait été grièvement blessée.

Ellie Garfield était peut-être tombée sur le même individu. Mais cette fois-ci, les choses avaient dégénéré.

Le dimanche, Wendell Garfield s'était présenté devant les caméras, sa fille enceinte à ses côtés. Celle-ci était trop bouleversée pour dire quoi que ce soit, mais son père était parvenu à contenir ses larmes assez longtemps pour lancer son appel :

— Je veux juste te dire, chérie, si tu regardes, je t'en prie, reviens à la maison. On t'aime et tu nous manques et on veut simplement que tu reviennes. Et… Et, si quelque chose t'est arrivé… Si quelqu'un t'a fait quelque chose, alors je m'adresse à celui qui a fait ça… S'il vous plaît, dites-nous ce qui est arrivé à Ellie. S'il vous plaît, dites-nous où elle est, qu'elle va bien… Dites-nous quelque chose… Je… Je…

À ce moment-là, il s'était détourné de la caméra, submergé par l'émotion.

Keisha manqua verser une larme elle-même quand elle se repassa l'extrait sur le site de la chaîne. Il était temps de passer à l'action.

Et donc, ce matin-là, à peu près une heure après le départ de Justin, elle chercha l'adresse de la maison des Garfield, qui était en retrait de la rue, dans un quartier densément boisé, tout près de la route qui conduisait à Derby. Les parcelles étaient vastes, et les maisons largement espacées, certaines étaient même invisibles pour le voisinage. Keisha voulait s'assurer que l'endroit n'était pas cerné de voitures de flics, banalisées ou non.

Une Buick vieille de dix ans était garée dans l'allée, saupoudrée de blanc par la petite averse de neige de la nuit. Rien d'autre. Ça semblait être le bon moment.

Elle était suffisamment familière de ce genre de situation pour ne pas avoir à peaufiner sa stratégie. À bien des égards, les gens dont un être cher avait disparu réagissaient comme ceux qui attendaient qu'on leur dise la bonne aventure. C'étaient les gens eux-mêmes qui alimentaient la vision. Elle commençait dans le vague, par quelque chose comme : « Je vois une maison… une maison blanche avec une clôture sur le devant… » Alors, ils disaient : « Une maison blanche ? Attendez, attendez, ce n'est pas tante Gwen qui vivait dans une maison blanche ? » Et quelqu'un d'autre renchérissait : « C'est vrai ! » Alors, ayant relevé l'imparfait, Keisha poursuivait : « Et cette tante Gwen, je sens… je sens qu'elle est décédée. » Et ils s'exclamaient : « Oh, mon Dieu, c'est vrai ! »

La clé était d'écouter, de leur faire lâcher des indices. Leur fournir quelque chose à quoi s'accrocher. Les laisser l'emmener là où ils voulaient qu'elle aille.

Keisha espérait simplement que Wendell Garfield n'était pas aussi borné que ce Terry Archer, qui avait refusé de laisser Keisha aider sa femme Cynthia. Le pire était qu'elle avait vu en partie juste. Avant que les Archer la mettent à la porte, elle leur avait dit

60

que leur fille était en danger. Quelque part dans un lieu élevé.

N'était-ce pas exactement ce qui s'était passé ?

Laisse tomber, se dit-elle. *Ça remonte à des années.*

Keisha avait toutefois un meilleur pressentiment quant à Wendell Garfield. Et les circonstances étaient tout autres. Avec les Archer, l'affaire était vieille de vingt-cinq ans. Il n'y avait pas vraiment d'urgence. Alors que la disparition de Mme Garfield était toute récente. Si elle avait des ennuis, il était sans doute encore temps de la sauver.

Avant d'aller là-bas, Keisha était entrée dans la chambre sur la pointe des pieds pour se pourvoir en accessoires. Vous aviez besoin d'une touche d'excentricité quelque part. Les gens se disaient que si vous étiez capable de parler aux morts, ou de visualiser les lieux où se cachaient des personnes disparues, ou encore d'avoir accès à d'autres dimensions, vous deviez être un peu siphonné, non ? C'était attendu. Elle choisit donc les boucles d'oreilles qui ressemblaient à de minuscules perroquets verts.

— Qu'est-ce qui se passe, baby ? marmonna Kirk, la figure à moitié enfouie dans son oreiller.

— Je suis sur un coup, lui répondit Keisha. J'ai besoin que tu restes en stand-by au cas où ils voudraient une référence.

— Ouais, ouais, je connais la marche à suivre, dit-il sans même ouvrir les yeux.

Elle resta assise encore un instant devant la maison des Garfield, puis jeta un coup d'œil dans le rétroviseur pour s'assurer qu'elle n'avait pas de rouge à lèvres sur les dents. Elle entra dans la peau du personnage.

Elle était prête.

Il était temps d'aller expliquer au mari fou d'inquiétude qu'elle pouvait l'aider dans ces moments difficiles. Elle pouvait être son *instrument* pour déterminer ce qui était arrivé à sa femme.

Parce qu'elle avait vu quelque chose. Elle avait eu une vision. Une vision qui, très vraisemblablement, expliquait pourquoi la femme avec qui il était marié depuis vingt et un ans avait disparu depuis quatre jours.

Une vision qu'elle serait heureuse de partager avec lui.

Contre une juste rétribution.

Keisha Ceylon respira un grand coup, jeta un dernier regard à son rouge à lèvres dans le rétroviseur, et ouvrit la portière.

Que le spectacle commence.

5

— Alors, ce que vous dites, c'est qu'il n'y a rien eu, rien du tout ? s'irrita Wendell Garfield au téléphone. Je pensais, je pensais vraiment que quelqu'un… enfin, si vous apprenez quelque chose, quoi que ce soit, j'espère que quelqu'un me donnera des nouvelles, nom de Dieu ! Vous avez la moindre idée de ce que nous endurons, de ce que ma fille endure ? Dites à l'inspecteur Wedmore que j'ai appelé. Je veux avoir de ses nouvelles. Je veux avoir de ses nouvelles dès qu'elle aura eu ce message.

Il raccrocha brutalement. Quand il s'était levé ce matin-là, il avait décidé qu'il allait harceler la police, appeler le commissariat toutes les heures s'il le fallait. Toute une journée s'était écoulée depuis la conférence de presse. Une demi-douzaine de chaînes avaient diffusé le reportage. Il y avait une vidéo sur YouTube. Les journaux en avaient fait leurs gros titres ce matin-là. Si quelqu'un devait appeler pour fournir un tuyau, c'était maintenant. Il fallait que la police sache à quel point il était impatient. À quel point il attendait qu'ils fassent quelque chose.

Il avait appelé en demandant à parler à l'inspecteur en chef, une femme appelée Rona Wedmore. Mais celle-ci était sortie, et on lui avait passé quelqu'un d'autre qui prétendait être plus ou moins au fait de l'enquête, et des réactions qu'avait suscitées la conférence de presse. Il y avait eu une demi-douzaine d'appels sur la ligne ouverte par la police. Aucun n'avait été considéré utile. L'un d'eux, au moins, émanait d'une folle à lier, qui affirmait qu'une actrice vue dans un soap-opéra italien ressemblait comme deux gouttes d'eau à la photo d'Ellie Garfield. Est-ce que la police avait vérifié que la disparue ne s'était pas enfuie pour poursuivre une carrière d'actrice?

Après avoir raccroché, Garfield décida de se faire du thé, pensant que ça le calmerait. Cette nuit-là, il n'avait pas dormi plus de quelques minutes. Il essayait de faire le compte de ses heures de sommeil, depuis jeudi, quand tout cela avait commencé. Cinq, six heures peut-être? Sa fille Melissa avait probablement dormi un peu plus que lui, ne serait-ce que parce que la grossesse l'épuisait.

Il n'avait pas voulu qu'elle s'exprime devant les caméras. Il avait dit à la police qu'il n'était pas sûr qu'elle puisse supporter le stress qu'elle aurait engendré. Elle était enceinte de sept mois, sa mère avait disparu, et ils voulaient à présent qu'elle passe au journal de six heures.

— Je ne veux pas lui infliger ça, avait-il dit à la police.

Mais ce fut Melissa elle-même qui avait insisté pour apparaître aux côtés de son père.

— On va le faire ensemble, papa, lui avait-elle dit. Tout le monde doit savoir que nous voulons que maman soit retrouvée, que nous voulons qu'elle rentre à la maison.

Il avait accepté, un peu à contrecœur, et à la seule condition qu'il serait le seul à parler. Une fois les projecteurs allumés et les caméras braquées, Melissa s'était effondrée. Elle avait simplement réussi à bredouiller : « Maman, s'il te plaît, reviens-nous », avant de fondre en larmes et de presser son visage contre la poitrine de son père. Même lui n'avait pas été en mesure de dire grand-chose, sinon qu'ils aimaient Ellie et voulaient qu'elle revienne.

Il avait entendu des murmures parmi l'équipe du journal, tous indistincts à part un : « C'est bon, ça. »

Sangsues.

Il avait ramené Melissa à la maison avec lui, essayé de lui faire avaler quelque chose.

— Ça va aller, lui avait-il dit. On va s'en sortir. Je te le promets. Mais il faut que tu manges. Il faut que tu prennes soin de toi. Que tu penses au bébé. Tu vas avoir ce bébé, et tu vas t'en occuper, et tout va bien se passer.

Elle était assise là, à la table de la cuisine, paraissant près de s'effondrer.

— Oh, papa…

— Fais-moi confiance, tout ira bien.

— Comment peux-tu dire ça ? avait demandé Melissa, les yeux rougis d'avoir pleuré.

— Parce qu'il le faut.

Melissa avait passé la nuit dans la maison de ses parents, mais vers six heures du matin, elle était entrée dans la chambre de son père pour lui dire qu'elle voulait retourner dans son appartement à l'autre bout de la ville. Garfield avait hésité à la laisser partir, mais Melissa lui avait assuré qu'elle tiendrait le coup. Elle ne comptait pas rester chez elle.

Elle reviendrait et passerait la nuit dans la chambre qu'elle occupait avant de quitter la maison. Mais elle avait besoin de passer prendre quelques affaires, des vêtements principalement, et avait envie de passer un peu de temps toute seule. Melissa partageait l'appartement avec son amie Olivia, mais cette dernière était en visite chez ses parents à Denver. Elle ignorait tout au sujet de la mère de Melissa.

— Tu ne vas rien faire qui devrait m'inquiéter ? s'était enquis Garfield avec hésitation. Je veux dire, dans ton état d'esprit et tout.

Elle l'avait rassuré.

Il avait raccompagné sa fille chez elle. S'était garé devant l'appartement, qui était en fait le dernier étage d'une vieille maison avec une entrée séparée.

— Pourquoi je ne t'attendrais pas là pendant que tu prends quelques affaires ? avait-il proposé. Après tu pourras retourner à la maison avec moi.

Melissa lui avait dit de rentrer, qu'elle l'appellerait quand elle serait prête pour qu'il vienne la chercher.

Même si elle n'avait que dix-neuf ans, Melissa avait déjà quitté la maison depuis trois ans. Elle voulait bien admettre, à la veille de ses vingt ans, qu'elle avait été une adolescente difficile. Et qu'elle avait été une enfant pénible avant cela. Elle avait pris sa première cuite à onze ans, avait perdu sa virginité à treize, et avait été assez stupide pour laisser de la marijuana dans sa chambre où sa mère allait la trouver un an après. Elle ignorait ouvertement les limites que ses parents s'ingéniaient à fixer. Les couvre-feux étaient faits pour être violés.

Les privations de sortie n'avaient aucun effet quand vous pouviez ouvrir la fenêtre de votre chambre.

À seize ans, elle avait quitté l'école. Ellie et Wendell avaient décidé qu'ils n'en supporteraient pas davantage. Ils lui avaient adressé un ultimatum. « Instruis-toi, respecte les règles de cette maison, ou fiche le camp. »

La seconde option l'avait davantage séduite.

Melissa avait trouvé un endroit où habiter avec sa copine Olivia, qui avait deux ans de plus qu'elle, mais qui était quand même bien trop jeune pour vivre seule. Cependant, quand vous aviez un père qui aimait se glisser sous vos couvertures la nuit et une mère qui refusait de voir ce qui se passait sous son nez, vos choix étaient limités. Pourtant, aussi difficile que fût sa vie de famille, Olivia avait de bons résultats scolaires, ne se droguait pas, et occupait un emploi à temps partiel chez Pancake Castle. Elle avait présenté Melissa au gérant, qui l'avait embauchée comme serveuse trois soirs par semaine. Se faire mettre à la porte de chez ses parents s'était révélé la meilleure chose qui soit jamais arrivée à Melissa. Elle admirait Olivia, qui était en train de devenir son modèle. Melissa se reprenait en main. Maintenant que ses parents n'étaient plus là pour la rattraper quand elle tombait, elle devait cesser de tomber aussi souvent.

Elle commençait à devenir responsable. Qui l'eût cru ?

Ellie et Wendell se montraient d'un optimisme prudent. Une fois que Melissa aurait la tête sur les épaules, se disaient-ils, elle pourrait reprendre les cours et finir le lycée. Si ses résultats étaient suffisamment bons, elle aurait peut-être une chance d'entrer à la fac.

Melissa venait parfois dîner chez ses parents. Certaines de ces petites réunions se passaient mieux que d'autres. Certains soirs, Melissa leur assurait qu'elle reprenait le droit chemin, et ses parents l'approuvaient de la tête et essayaient de se montrer positifs. Mais d'autres soirs, Ellie, qui avait très envie que les choses aillent plus vite pour sa fille, se faisait insistante. Elle lui disait qu'il était temps de retourner au lycée et de faire enfin quelque chose de sa vie. Est-ce que Melissa savait combien c'était embarrassant pour sa mère, qui travaillait au conseil d'éducation de son lycée, d'avoir pour fille une marginale qui avait laissé tomber ses études? Qui n'avait même pas terminé son année de première? Combien de temps allait-elle devoir encore attendre avant de voir sa fille s'engager dans une voie qui donnerait enfin quelque chose?

Alors elles commençaient à se disputer et Melissa sortait comme un ouragan de la maison, mais pas avant d'avoir demandé tout haut comment elle avait réussi à vivre dans cette maison aussi longtemps sans s'être fait sauter la cervelle.

Les choses mettaient toujours quelques jours à se tasser après ce genre de soirées.

Ellie et Wendell continuaient néanmoins de croiser les doigts pour que Melissa, malgré leurs prises de bec occasionnelles, devienne adulte. Elle s'accrocha à son travail de serveuse. Elle mettait de l'argent de côté, principalement l'argent de ses pourboires. De cinquante à soixante dollars par semaine, ce qui au moins était quelque chose. Et un jour, en parlant avec sa mère au téléphone, elle lui dit en passant qu'elle était allée sur le site Internet d'une fac, pour se renseigner sur les qualifications requises pour s'inscrire en école vétérinaire.

Ellie était transportée de joie quand elle avait appris la nouvelle à Wendell.

— N'est-ce pas merveilleux ? Elle devient adulte, voilà ce qu'il se passe. Elle devient adulte et pense à l'avenir.

Ce que ni Ellie ni Wendell n'avaient pris en compte était que le futur proche inclurait un bébé.

Melissa était déjà à son troisième mois quand elle annonça la nouvelle à ses parents. Ils ne le prirent pas bien, c'est le moins que l'on puisse dire, mais Wendell chercha le bon côté de la chose. Cette grossesse signifiait peut-être que Melissa allait se marier. Elle était bien jeune pour être mère, mais au moins, si elle avait un homme dans sa vie, un homme capable de s'occuper d'elle, ce serait un poids en moins pour Ellie et lui, non ?

L'homme s'appelait Lester Cody, et il avait trente ans. Un habitué du Pancake Castle. Il commandait toujours quatre crêpes aux pépites de chocolat grandes comme des Frisbee avec une double dose de sirop d'érable et une portion de saucisses. (Melissa avait cessé de s'étonner du nombre de gens qui aimaient avaler des choses aussi caloriques pour leurs dîners.) Il était, comme on pouvait s'y attendre, un peu plus corpulent que la moyenne, dans les cent trente kilos, mais il y avait des informations encourageantes. Il était dentiste. Roulait en Lexus. Possédait sa propre clinique. Se faisait cent mille dollars par an. Et, cerise sur le gâteau, n'était pas marié.

Ellie ne savait plus à quel saint se vouer. Un jour elle disait à Wendell que leur fille était en train de gâcher sa vie, en ayant un enfant si jeune, mais, le lendemain, elle lui avouait qu'elle était très excitée à l'idée de devenir grand-mère. « À mon âge, qui croirait que je suis une mamie ? » disait-elle. Elle discutait longuement de savoir si ce serait un garçon ou une fille, à quoi son mari répondait en ronchonnant : « L'un ou l'autre, j'imagine. » Et puis le jour d'après, elle déblatérait sur Lester Cody, qui était décidément trop vieux pour Melissa, bien qu'il ait une bonne situation et puisse subvenir aux besoins de leur fille et de son bébé. Mais bientôt Melissa lâcha la nouvelle qui fit l'effet d'une bombe : elle n'avait pas vraiment de sentiments pour Lester ; certes il était gentil, mais elle ne s'était jamais imaginée mariée à un dentiste. Elle avait rencontré un autre homme, qui travaillait à la boutique Cinnabon du centre commercial, et qui était plutôt mignon, et pas aussi gros que Lester, même s'il pouvait faucher tous les petits pains à la cannelle qu'il voulait. Ellie tenta de raisonner sa fille, en lui expliquant que si Lester Cody s'intéressait à elle, et pouvait subvenir à ses besoins, elle serait complètement folle de ne pas investir dans cette relation. Parce que, soyons réaliste, même si elle voulait aller en école vétérinaire, elle allait d'abord devoir terminer son lycée, et combien de temps cela allait-il prendre ? Lester pourrait sans doute lui trouver un travail de secrétariat à temps partiel à la clinique dentaire après la naissance du bébé.

Melissa criait à sa mère de rester en dehors de sa vie. Et le lendemain, elle lui téléphonait pour lui demander de l'accompagner chez le médecin pour son échographie.

Au milieu de toutes ces lamentations et objurgations, Ellie reprit ses travaux d'aiguille.

— Le bébé arrive d'une façon ou d'une autre, et il aura besoin d'avoir quelque chose à se mettre sur le dos, dit-elle, et elle soulevait une moitié de manche et demandait à son mari ce qu'il en pensait.

La plupart du temps, c'était plus que ce que Wendell Garfield pouvait en supporter.

Toute cette tension entre sa femme et sa fille, les discussions incessantes qu'Ellie tenait à avoir avec lui à propos de l'avenir de leur fille. Tous ces bavardages au sujet du bébé. Comment Melissa allait-elle se débrouiller ? Allait-elle épouser Lester ? Assurerait-il l'avenir de l'enfant même si Melissa ne voulait pas faire sa vie avec lui ? Melissa garderait-elle son travail de serveuse au Pancake Castle après la naissance du bébé ?

Ellie opérait parfois un virage à cent quatre-vingts degrés et s'en prenait violemment à Lester Cody comme si celui-ci était présent dans la maison avec eux.

— À trente ans ! Coucher avec une adolescente ! Il a abusé d'elle, voilà ce qu'il a fait.

Les discussions ne s'arrêtaient jamais.

Wendell Garfield se demandait si c'était tout cela qui l'avait poussé dans les bras de Laci Harmon, ou si ce serait arrivé de toute manière.

6

Ils travaillaient tous les deux au Home Depot, Wendell à la plomberie presque tous les jours, à moins qu'ils ne soient à court de personnel dans d'autres rayons, et Laci en face, aux luminaires. Ils prenaient leurs pauses café ensemble, parlaient de leurs familles, des joies et, surtout, des peines qu'il y avait à élever des enfants. Elle avait deux fils âgés de quinze et dix-sept ans qui passaient leur temps à se battre. Laci avoua un jour, en plaisantant à moitié seulement, que parfois elle souhaitait qu'ils se livrent un ultime combat où tous les coups seraient permis et qu'ils s'entre-tuent.

Wendell éclata de rire. Il lui dit qu'il savait exactement ce qu'elle ressentait.

Il trouvait toujours une raison pour faire un tour aux luminaires.

Laci semblait passer souvent par le rayon plomberie.

Cela commença par des taquineries amicales, puis des expressions à double sens. Quand Laci passait par là, elle plissait les yeux et disait qu'elle avait besoin d'aide avec sa tuyauterie. Quand Garfield était aux luminaires, il faisait exprès de tomber sur

Laci à qui il demandait de l'aider à garder son interrupteur en position haute.

Rien de sérieux, bien entendu. Des petits jeux parfaitement innocents. Après tout, tout semblait indiquer qu'ils étaient l'un comme l'autre heureux en ménage. Wendell et Ellie étaient ensemble depuis vingt et un ans. Laci et Trevor, directeur adjoint dans une banque de Bridgeport, venaient de fêter leur vingt-troisième anniversaire de vie commune. Ils avaient pris le train jusqu'à New York, rempli leur fiche au Hyatt près de Grand Central, et étaient allés voir *Priscilla, folle du désert*, que Trevor, à son grand étonnement, avait énormément aimé, alors qu'il n'était pas ce qu'on pourrait appeler un grand fan de la communauté des drag-queens. Cela aurait été une parfaite escapade si Trevor n'avait pas piqué une crise parce que Laci avait pris une bière dans le minibar, arguant qu'ils auraient pu aller à l'épicerie la plus proche et acheter un pack de six pour le prix de ce que cette bière allait leur coûter. Il n'en parlerait pas quand ils régleraient leur note, pour voir s'ils s'en apercevraient plus tard et débiteraient sa Visa.

Ce qu'ils avaient fait.

Un jour au travail, on avait demandé à Wendell d'assembler, à des fins de présentation, un abri de jardin avec un bardage en vinyle. Il se trouvait à l'intérieur de la structure pratiquement achevée, serrant quelques boulons pour s'assurer que le vent ne ferait pas tomber l'abri, quand Laci Harmon était entrée, avait refermé la porte derrière elle, et posé sa main droite sur son sein gauche.

— Touche mon téton, avait-elle chuchoté. Sens comme il est dur.

Comme Wendell touchait les mêmes deux tétons depuis vingt et un ans, encore que bien moins souvent qu'autrefois, en toucher un qui ne lui était pas familier, même à travers le chemisier de Laci, fut une expérience électrisante. Il crut qu'il allait exploser immédiatement, et l'aurait probablement fait s'il n'avait pas reçu un appel sur sa radio d'employé : quelqu'un avait besoin d'un coup de main pour choisir un souffleur de feuilles.

Ils convinrent de se retrouver le soir même dans un Day's Inn. C'était un jeudi, ce qui voulait dire qu'Ellie serait sortie faire les courses de la semaine, et que Wendell n'aurait pas à trouver de prétexte pour quitter la maison. Mais ils devraient faire vite. Ellie ne s'absentait jamais plus de deux heures.

Il se trouva qu'ils n'eurent en fait besoin que d'environ quatre-vingts secondes.

— Tu es juste un peu nerveux, le rassura Laci. Tu n'as jamais rien fait de pareil avant.

— Et toi ? interrogea Wendell.

— Bien sûr que non, se défendit Laci, horrifiée par la question.

Elle fit remarquer qu'elle n'était pas ce genre de fille.

Sauf que, maintenant, elle l'était plus ou moins.

Ils arrivaient à se voir une ou deux fois par semaine. Pas toujours au Day's Inn, parce que, prendre une chambre chaque fois, ç'aurait fini par coûter cher. Ils le faisaient de temps en temps dans le monospace Honda de Laci. Une fois, ils avaient tenté la chose sur la banquette arrière de la Buick de Wendell, mais il en avait conclu qu'on n'est pas tout à fait aussi leste, la quarantaine passée, qu'au temps de son adolescence, et ils avaient donc opté pour la voiture de Laci, dont les sièges se repliaient jusqu'au plancher.

Pratique.

Les premières fois, Wendell se sentait rongé par la culpabilité. Mais plus Ellie revenait à la charge à propos de leur fille, plus il se disait qu'il y avait été poussé. Que ce n'était pas sa faute. Que c'était une question de survie. Que c'était pour lui le seul moyen de faire face.

Peut-être qu'une fois que le bébé serait né, et que les choses avec Melissa se seraient tassées, il mettrait fin à sa relation avec Laci.

C'était ce qu'il se racontait. Il lui arrivait même de le croire.

Quelques minutes après qu'il eut fini de parler avec la police, le téléphone sonna. C'était peut-être l'inspecteur Wedmore qui rappelait, mais quand il vit le numéro sur l'écran, il jura entre ses dents. Qu'est-ce qu'il lui prenait de l'appeler chez lui ? Elle avait perdu la tête ?

— Allô !

— Oh, Wen, il fallait que je te joigne.

— Laci, tu tombes mal.

— Mais je n'arrête pas de penser à toi, à ce que tu dois endurer.

Elle ne chuchotait pas, ce qui indiqua à Garfield qu'elle était seule chez elle.

— Où sont Trevor et les garçons ? lui demanda-t-il.

— Il les a emmenés voir ses parents à Schenectady pour le week-end. Ils rentrent dans la journée. J'allais partir travailler. Wendell, il faut que tu me parles.

— Qu'est-ce que tu veux que je te dise ?

— Est-ce qu'ils ont trouvé quelque chose ? Est-ce que la police sait ce qui s'est passé ? J'ai regardé les infos à la télé. Je les ai regardées à six heures, et encore à onze heures. C'était très émouvant. Tu as été très bien, si tu vois ce que je veux dire. Tu as vraiment bien tenu le coup. À mon avis, si quelqu'un sait quelque chose, n'importe quoi, il appellera s'il a vu ça.

— Je viens de raccrocher avec la police, dit Garfield. Ils n'ont reçu aucun renseignement intéressant.

— Je me sens… Je me sens tellement… C'est difficile à expliquer, bredouilla Laci. D'une certaine manière, je me sens coupable, tu sais ? À cause de ce qu'on a fait, dans son dos.

— Ça n'a aucun rapport.

— Je suis sûre que tu as raison, mais je n'arrête pas de me dire que quelqu'un pourrait découvrir la vérité. Que quelqu'un pourrait découvrir ce qui se passe entre nous, et faire un lien avec ce qui est arrivé à Ellie. Et si, Dieu nous en préserve, il était vraiment arrivé quelque chose à Ellie, qu'est-ce qu'on va penser si… ?

— Laci, s'il te plaît, ne t'aventure pas sur ce chemin, coupa-t-il. Elle a peut-être simplement décidé de partir quelque temps, de s'éclaircir les idées.

— C'est ce que tu penses ?

— Je ne sais pas quoi penser. Mais je suppose que c'est une possibilité. Je veux dire, ils n'ont pas retrouvé sa voiture ni rien. S'il lui était arrivé quelque chose dans les environs, ils auraient au moins trouvé sa voiture.

— Alors tu penses qu'elle a juste décidé de partir en voiture ? En Floride ou quelque part comme ça ?

— Laci, je ne sais pas, d'accord ? Je n'en sais foutre rien.

Le ton de sa voix la laissa un moment interdite.

— Tu n'es pas obligé de te mettre en colère après moi.

— Je vis des choses difficiles en ce moment. J'essaie juste de tenir le coup.

— Comment Melissa s'en sort ?

— Pas bien.

— Et l'homme qui l'a mise enceinte ? Il est toujours dans le coup ? Est-ce qu'on peut compter sur lui pour soutenir Melissa dans un moment comme celui-ci ?

— Elle dit qu'elle ne veut pas avoir affaire avec lui. Franchement, je ne pense pas que ça me faciliterait la tâche s'il était dans les parages en ce moment.

— J'étais juste… oh, mon Dieu, je viens de penser à quelque chose.

— Quoi ?

— Ton téléphone n'est pas sur écoute, au moins ? Ils ne sont pas en train de nous écouter ?

Un frisson courut le long de son dos. Était-ce possible ? Il se serait giflé. Ça ne lui avait pas traversé l'esprit avant qu'elle en parle. Il avait été tellement convaincant dans le rôle du mari éploré qu'il n'avait

77

pas pensé que la police ait la moindre raison de mettre son téléphone sur écoute. Bien entendu, il savait que, tôt ou tard, les flics s'intéresseraient à lui, mais il ne croyait pas avoir fourni le moindre élément indiquant qu'il était en quoi que ce soit responsable de la disparition de sa femme.

— Je veux dire, s'ils nous entendent, et apprennent qu'on se voit, alors...

— Raccroche, Laci.

— ... ils pourraient penser que tu as quelque chose à voir avec ça, tu sais, pour pouvoir passer ta vie avec moi et...

Il raccrocha brutalement. Si la police les écoutait, le mal était fait. Ils sauraient qu'il avait une liaison. Ils sauraient que Laci et lui se voyaient depuis des semaines.

Pas bon, pas bon du tout.

L'appel de Laci mit Garfield dans tous ses états. Il essaya de se dire qu'il allait surmonter ça. Il devait garder son sang-froid. Même si la police apprenait qu'il avait couché avec Laci, cela ne signifiait pas nécessairement qu'il avait quelque chose à voir dans la disparition de sa femme.

Ils n'avaient pas retrouvé son corps. Ni sa voiture.

Et il était presque certain qu'ils ne les retrouveraient jamais.

Reprends-toi, s'exhorta-t-il.

On sonna à la porte.

Mon Dieu, pensa-t-il. Ils avaient effectivement mis son téléphone sur écoute, et voilà qu'ils voulaient lui poser des questions sur Laci, lui demander s'il avait tué sa femme pour être avec elle.

Il respira à fond deux ou trois fois, se calma, et gagna la porte d'entrée à grandes enjambées en passant par le salon. Il écarta d'abord le rideau, pour voir qui c'était.

Une femme.

Une femme avec des perroquets verts aux oreilles.

7

Keisha Ceylon était prête à décocher son sourire de compassion. C'était la première impression qui comptait. Il fallait paraître sincère, et donc ne pas exagérer le sourire. Qui devait être tout en retenue. Ne pas découvrir ses dents. Pas un de ces sourires stupides de ménagère modèle ou illuminés de Témoin de Jéhovah. Vous deviez vivre l'instant présent. Vous deviez croire que vous étiez en mission. Et vous deviez même donner l'impression d'être là à regret, que s'il y avait un autre endroit sur cette Terre où vous pourriez être, vous y seriez.

Mais vous êtes obligé d'être là. Vous n'avez simplement pas le choix.

Elle vit l'homme écarter le rideau pour la regarder, et lui fit son sourire. Presque d'excuse.

Puis la porte s'ouvrit.

— Oui ?

— Monsieur Garfield ?

— Vous êtes journaliste ? La conférence de presse, on l'a faite hier. Je n'ai rien d'autre à rajouter pour l'instant.

Il se pencha par la porte, regardant dans la rue pour voir si un fourgon-régie ne serait pas dans les parages.

—Je ne suis pas journaliste, monsieur Garfield.

—Qu'est-ce que vous voulez, alors?

—Laissez-moi vous donner ma carte, dit-elle en lui en tendant une.

Il y jeta un coup d'œil. On y lisait:

KEISHA CEYLON
Médium, chercheuse d'âmes perdues

Et, dessous, une adresse Internet et un numéro de téléphone.

—C'est quoi, ça?

—Comme il est écrit sur ma carte, je m'appelle Keisha, et je suis vraiment navrée de vous déranger dans un moment pareil. Mais si vous aviez la gentillesse de m'accorder un moment, je pense que vous ne regretterez pas que je sois venue frapper à votre porte.

Il regarda à nouveau la carte.

—Médium. Pour moi, c'est totalement bidon.

Keisha sourit. Pas trop. Elle voila son sourire d'une pointe de tristesse.

—Je me heurte très souvent à ce genre de réaction. Il serait peut-être préférable que je mette juste le mot «consultante», mais ce serait donner une représentation erronée du type de services que je fournis.

—Consultante, hein? dit-il en glissant la carte dans la poche de sa chemise.

—Les gens qui me consultent se trouvent dans des situations telles que la vôtre, monsieur Garfield.

—Alors, vous êtes quoi, une sorte de médium détective? Comme la fille de la série télé?

— En fait, un peu, oui.

— Je vous souhaite une bonne journée, mademoiselle Cylon.

— Ceylon, corrigea-t-elle en mettant la main sur la porte alors qu'il commençait à la fermer. Laissez-moi vous demander quelque chose avant que vous me congédiiez.

— Quoi donc ?

— Les recherches menées pour retrouver votre femme se déroulent si bien que vous êtes prêt à écarter toutes les autres pistes ?

Elle vit l'hésitation dans son regard.

— Je ne vais pas vous raconter d'histoires, monsieur Garfield. Ce que je fais demande un acte de foi, je le sais. Et je n'ai pas toujours raison. Ce n'est pas une science exacte. Mais s'il y avait une chance, peut-être une sur dix… sur cent même, que je puisse vous aider à retrouver Mme Garfield, le jeu n'en vaudrait-il pas la chandelle ? Si ce n'est pas le cas, dites-le-moi, j'en resterai là et je ne vous importunerai plus.

Il retint la porte, interdit. Elle était suffisamment entrouverte pour qu'il puisse encore la voir, mais pas assez pour lui permettre d'entrer.

Après plusieurs secondes d'hésitation, il l'ouvrit plus grande.

— Bon, très bien.

Elle entra dans la maison. Un vestibule et un salon sur la droite meublé d'un canapé et d'une paire de fauteuils moelleux. Une rangée de fenêtres sur le devant, les stores laissant passer très peu de lumière, et une autre fenêtre, plus petite, sur le côté, où le store n'avait pas été complètement fermé.

—Ça ne vous ennuie pas que je m'asseye ? demanda-t-elle.

Il était toujours beaucoup plus difficile pour eux de vous mettre à la porte une fois que vous étiez dans cette position.

Il lui indiqua un fauteuil. Elle dut déplacer une pelote verte piquée de deux aiguilles à tricoter bleues d'une trentaine de centimètres. Elle déposa le tout sur le bord du siège.

—Vous n'avez jamais entendu parler de moi ? demanda-t-elle alors qu'il s'installait sur le canapé en face d'elle.

—Non.

Elle hocha la tête.

—Enfin, ce n'est pas que je sois célèbre ni rien de ce genre. Mais j'ai effectivement une certaine réputation. Pas plus tard que la semaine dernière, j'ai aidé un couple à retrouver leur fils. Il était déprimé et ils craignaient qu'il n'attente à ses jours. On l'a retrouvé juste à temps.

—Ma femme n'était pas déprimée, précisa Garfield.

—Bien sûr, acquiesça Keisha. Chaque cas est différent.

Il la regarda comme si elle avait déjà pu avoir l'occasion de barboter l'argenterie.

—Pourquoi ne me dites-vous pas ce que vous faites, exactement ?

—Je propose mes services aux gens confrontés à une situation critique. Quand ils ont désespérément besoin de trouver quelqu'un. Cela vous ennuie que je vous pose d'abord quelques questions avant de commencer à vous expliquer ma façon de procéder.

— Je suppose que non.

— Je vous ai vus, vous et votre fille... Melissa, c'est ça ?

Il fit oui de la tête.

— Je vous ai vus aux infos lancer votre appel. Demander des informations sur Mme Garfield, lui demander, si elle regardait le reportage, de rentrer à la maison pour que vous puissiez arrêter de vous faire du souci.

— C'est exact.

— Je me demandais quel genre d'informations a reçu la police depuis ? Je suppose qu'ils vous ont contacté.

— Il n'y a rien eu. Du moins rien d'utile. Deux ou trois appels de cinglés, c'est tout.

Keisha hocha la tête avec compassion, comme si c'était à peu près ce à quoi elle s'attendait.

— Et à part attendre des informations, quels autres efforts a déployés la police pour retrouver Mme Garfield ?

— Ils ont essayé de reconstituer ses déplacements depuis qu'elle a quitté la maison, jeudi soir. C'est le soir où elle fait les courses, mais elle n'est jamais arrivée au magasin.

— Oui, je le savais.

— Et ses cartes de crédit n'ont pas été utilisées. Je sais qu'ils ont montré sa photo partout où elle a l'habitude d'aller, qu'ils ont parlé à ses amies, aux gens avec qui elle travaille. Tout ce à quoi on peut s'attendre de leur part.

Nouveau hochement de tête compatissant.

— Mais pour ce qui est des informations, rien de bien utile. C'est ce que vous êtes en train de me dire, monsieur Garfield ?

— Il semblerait, oui.

Keisha Ceylon marqua une pause qu'elle jugea appropriée d'un point de vue dramatique, avant de déclarer :

— La police fait son travail, mais les policiers ne sont pas formés pour… quelle est l'expression ?… sortir des sentiers battus. Ce que je propose est moins conventionnel.

— Je vous écoute.

Elle le regarda droit dans les yeux.

— Je vois des choses, monsieur Garfield.

Il ouvrit la bouche, mais, pendant un instant, les mots lui manquèrent.

— Vous voyez des choses ? finit-il par dire.

— C'est exact, je vois des choses. Laissez-moi vous présenter cela de façon aussi simple et directe que possible. Monsieur Garfield, j'ai des visions.

Il laissa échapper un petit rire.

— Des visions ?

Keisha prit soin de garder son calme.

— Oui, dit-elle simplement.

Fais-le parler. Qu'il te pose des questions.

— Quel genre de visions ?

— J'ai ce don – même si je ne suis pas vraiment sûre qu'on puisse l'appeler ainsi – depuis que je suis enfant, monsieur Garfield. J'ai des visions de gens en détresse.

— En détresse, reprit-il doucement. Vraiment.

— Oui, répéta-t-elle.

—Et vous avez eu une vision de ma femme? En détresse?

Elle hocha la tête avec gravité.

—Oui, en effet.

—Je vois.

Un sourire perplexe se dessina sur ses lèvres.

—Et vous avez décidé de partager cette vision avec *moi*, et pas avec la police.

—Vous comprenez sans doute, monsieur Garfield, que la police se méfie en général des gens possédant mon genre de talent. Pas simplement par scepticisme. Quand je fais des progrès alors qu'ils piétinent, ils ont le sentiment que cela nuit à leur réputation. Alors je m'adresse aux principaux intéressés, directement.

—Bien sûr. Et comment ces visions vous viennent-elles? Vous avez une sorte d'antenne télé encastrée dans la tête?

—J'aimerais pouvoir répondre à ces questions d'une façon intelligible à tout le monde, répliqua-t-elle en souriant. Parce que si je savais comment ces visions me viennent, je serais peut-être capable de les faire cesser.

—C'est donc autant une malédiction qu'une bénédiction?

Keisha ignora le sarcasme.

—Oui, c'est un peu ça. Laissez-moi vous raconter une histoire. Un soir, ce devait être il y a trois ans environ, je me rendais au centre commercial en voiture, sans me soucier de rien, quand cette... image m'est venue à l'esprit. Tout à coup, je voyais à peine la route devant moi. Comme si mon pare-brise s'était transformé en écran de cinéma. Et j'ai vu cette petite fille, elle ne devait pas avoir plus de cinq ou six ans, et elle était dans une chambre, mais ce n'était pas une chambre de petite fille. Il n'y avait ni poupées, ni dînette, ni rien de pareil. La pièce était décorée de souvenirs sportifs. Trophées, posters de joueurs de football sur le mur, un gant de base-ball sur le bureau, une batte appuyée contre le mur dans le coin. Et cette petite fille, elle pleurait, en disant qu'elle voulait rentrer chez elle, suppliant quelqu'un de la laisser partir. Et ensuite, il y a eu une voix d'homme, qui répondait : « Pas encore, tu ne peux pas rentrer tout de suite, pas avant qu'on ait fait un peu mieux connaissance. »

Elle reprit son souffle. Garfield essayait de paraître indifférent, mais Keisha voyait bien qu'elle l'avait accroché.

— J'ai failli quitter la route. J'ai pilé et je me suis rangée sur le bas-côté. Mais à ce moment-là, cette vision, ces images avaient disparu, comme de la fumée. Pourtant je savais que ce que j'avais vu était réel. J'avais vu une petite fille en difficulté, une petite fille qu'on retenait contre sa volonté. Alors, dans cette situation particulière, parce que j'ignorais où se trouvaient les personnes impliquées, j'ai pris la décision d'aller voir la police. Je les ai appelés et j'ai dit : « Est-ce que vous enquêtez sur la disparition d'une petite fille ? Une affaire sur laquelle vous n'avez peut-être pas encore communiqué ? » Ça les a drôlement surpris. Ils m'ont répondu qu'ils ne pouvaient vraiment pas divulguer ce genre d'information. Et moi j'ai rajouté : « La petite n'aurait pas dans les six ans ? Et ne portait-elle pas un tee-shirt avec un personnage de "Rue Sésame" dessus la dernière fois qu'on l'a vue ? » Tout à coup, j'ai eu toute leur attention. Ils ont envoyé un inspecteur pour me parler, quelqu'un qui ne croyait pas plus aux visions que vous, j'imagine. Peut-être me pensaient-ils impliquée dans la disparition de cette petite fille ? Comment aurais-je pu être au courant de ce genre de détail autrement ? Mais je lui ai dit de parler à la famille, de trouver qui était fan de sport dans leur entourage, qui avait gagné des tas de trophées, surtout des trophées de football, peut-être même de base-ball, à quoi il a répondu qu'ils allaient s'y mettre tout de suite, comme s'il me faisait une faveur. Ensuite il est parti, a passé quelques coups de téléphone, et, en moins d'une heure, la police se présentait au domicile d'un voisin qui correspondait à cette description, et ils ont sauvé cette petite fille. Ils sont arrivés juste à temps.

Keisha marqua un temps d'arrêt.

— Elle s'appelait Nina. Et la semaine dernière, elle a fêté son neuvième anniversaire. Bien vivante, et en parfaite santé.

100 % foutaises.

Keisha joignit les mains et les posa sur ses genoux, sans jamais quitter Garfield des yeux.

— Vous voulez appeler le père de Nina ? demanda-t-elle. Je peux arranger ça.

Elle ne pensait pas qu'il accepterait sa proposition, mais, dans le cas contraire, Kirk se tenait prêt. Si Garfield appelait, il se ferait passer pour le père de la fillette disparue. Il dirait qu'il devait la vie de leur fille à Keisha. Il l'avait déjà fait et, en général, il s'en sortait bien. Mais il fallait faire en sorte que l'appel ne s'éternise pas. Kirk était le genre de type à être incapable de suivre le fil de ses mensonges, et plus on lui posait de questions, plus il risquait de s'empêtrer dans ses réponses.

Comme Keisha s'en était doutée, la confirmation de son histoire n'intéressait pas Garfield.

—Non, non, ça ira, fit-il. Cela dit, c'est une histoire très intéressante.

Keisha décela du sarcasme, mais moins qu'elle aurait pu en attendre.

—Je comprendrais tout à fait si vous vouliez quand même que je parte, répondit-elle. Peut-être m'avez-vous cataloguée comme arnaqueuse. Ça court les rues, croyez-moi. Si vous ne voulez pas que je partage ma vision avec vous, je partirai à l'instant et vous n'entendrez plus jamais parler de moi. Et je tiens à ajouter que j'espère que la police retrouvera bientôt votre femme, monsieur Garfield, pour que vous et votre fille puissiez reprendre une vie normale.

Elle se leva. Garfield aussi était debout, et quand Keisha lui tendit la main, il la prit.

—Merci pour votre temps, et désolée de vous avoir dérangé.

—Qu'est-ce que vous allez faire? Je veux dire, puisque vous avez eu ces prétendues visions, et que je ne suis pas le genre de personne à donner dans ce genre de truc, qu'allez-vous faire maintenant?

—Je suppose que je vais aller à la police avec ce que je sais, et je verrai s'il y a quelqu'un que ça intéresse. Parfois, cependant, cela peut avoir un effet négatif. Ils ne sont pas toujours aussi réceptifs à ma participation qu'ils l'ont été quand je les ai appelés au sujet de Nina. Je me suis rendu compte qu'ils avaient tendance à se braquer, et que le tuyau que vous leur donniez était le dernier qu'ils suivaient, ajouta-t-elle avec un sourire. Ils peuvent dédaigner les facultés que je mets à leur disposition. J'espère, pour votre femme, qu'ils n'adopteront pas cette attitude.

— Alors vous allez aller à la police, dit-il plus pour lui-même que pour Keisha.

— Encore une fois, merci pour…

— Asseyez-vous. Autant que vous m'indiquiez comment ça marche.

8

Qu'allait-il bien pouvoir faire de cette bonne femme ?

Wendell Garfield ne savait pas quoi penser. Keisha Ceylon avait-elle réellement des visions ? Le récit de son histoire à propos de la petite fille était plutôt convaincant, mais cela ne suffisait pas à le persuader qu'elle était réglo. Il y avait cependant quelque chose chez elle qu'il était difficile d'écarter.

Et préoccupant.

Il réfléchit à toute vitesse aux différentes possibilités. Cette femme essayait de le plumer, purement et simplement. Il avait dans l'idée que, même s'ils n'avaient pas eu le temps d'aborder la question financière, elle n'allait pas tarder à se poser. Quelle meilleure cible qu'un mari prêt à tout pour retrouver sa femme disparue ? Des tas de gens dans sa situation ne seraient-ils pas prêts à engager une voyante, une médium, une spirite, une experte en phénomènes paranormaux – quel que soit le titre que cette femme voulait se donner –, même s'ils croyaient qu'il y avait, au mieux, une chance sur un million qu'elle sache vraiment quelque chose ? N'est-ce pas ce que ferait quelqu'un qui aimait profondément sa femme ?

Ou peut-être qu'elle n'avait pas l'intention de l'arnaquer. Peut-être qu'elle croyait vraiment pouvoir faire ce qu'elle prétendait. Il était possible qu'elle soit là par désir sincère de lui venir en aide. Cela ne signifiait pas pour autant qu'elle possédait un don de voyance quelconque. Elle pouvait être une cinglée bien intentionnée. Victime de ses illusions. Ses visions pouvaient être le fruit d'un esprit tordu ou dérangé.

Et puis, bien sûr, il y avait une troisième possibilité : elle était bien ce qu'elle prétendait être.

Garfield estimait que c'était l'hypothèse la moins probable. Mais si, d'une manière ou d'une autre, pour des raisons qui lui échappaient, elle avait découvert quelque chose.

La solution la plus judicieuse, pour l'instant, semblait de l'écouter jusqu'au bout. D'écouter ce qu'elle avait à raconter.

Une fois Keisha rassise, et Garfield en face d'elle, il lui dit :

— Tout d'abord, je voudrais m'excuser si j'ai été grossier tout à l'heure.

— Je vous en prie. Je comprends que beaucoup de gens acceptent difficilement ce que je fais, le don que j'ai.

— Oui, enfin, je dois admettre que j'ai des doutes. Mais encore une fois, je tiens surtout à découvrir ce qui est arrivé à Ellie. Je l'aime tellement. Ça lui ressemble tellement peu, de disparaître de cette façon. C'est totalement contraire à son caractère. Et ç'a été tellement dur pour Melissa.

— Elle est là ? demanda Keisha.

— Pas en ce moment. Elle n'habite pas ici. Elle a passé les deux dernières nuits à la maison, mais elle est retournée chez elle ce matin. J'irai la chercher plus tard.

— Elle est bien jeune pour vivre seule, observa Keisha.

— Quand Melissa était ado, elle n'aimait pas vraiment respecter nos règles. Nous avons donc tous convenu que ce serait une bonne expérience pour elle d'essayer d'apprendre à vivre seule.

— Je vois. Et quand je l'ai vue aux infos, il m'a semblé que, qu'elle était peut-être… ?

— Oui, elle est enceinte.

Keisha se força à sourire.

— N'est-ce pas merveilleux ?

Garfield ne put s'empêcher de lever les yeux au ciel.

— Ouais, c'est super. Je n'ai pas vraiment envie de parler de Melissa. Si vous avez quelque chose à me dire au sujet d'Ellie, si vous voulez me faire part d'une de vos foutues visions, alors pas de problème.

— J'ai l'impression que vous n'êtes pas très réceptif à ce que j'aurai éventuellement à vous révéler.

— Pas du tout, protesta-t-il en secouant la tête. Allez-y.

— Il y a une autre question dont nous devons d'abord parler.

— Nous y voilà.

— Pardon ?

— Je m'y attendais. Qu'est-ce que ça va me coûter d'avoir un aperçu de vos talents médiumniques ?

Keisha se donna un air de profonde mansuétude.

— Que faites-vous dans la vie, monsieur Garfield ?

— Je travaille à Home Depot.

— Je parie que vous devez vous y connaître pour travailler là-bas. Vous devez avoir des connaissances multiples. Sur la peinture, le bois de charpente, les appareils électriques. Toutes les différentes sortes de vis, d'écrous et de boulons ? On ne vous paie pas uniquement pour le travail que vous faites, on vous paie aussi pour ce que vous savez. Pour votre expérience.

— Continuez.

— Cela vaut aussi pour moi, expliqua Keisha. C'est mon gagne-pain. J'ai un don, et je propose de l'utiliser pour vous aider. Mais je ne fournis pas de service sans être rémunérée pour mon savoir et mon expérience. Si vous deviez engager un détective privé pour vous aider à trouver votre femme, vous ne vous attendriez pas à ce qu'il donne de son temps et utilise son expérience sans compensation.

— Oh, bien sûr que non.

— Je suis contente de vous l'entendre dire.

— Et de combien d'argent parlons-nous, madame Ceylon ?

— Mille dollars, répondit-elle sans la moindre gêne.

Garfield haussa les sourcils.

— Vous n'êtes pas sérieuse.

— J'estime que c'est une somme raisonnable.

Après réflexion, il déclara :

— Je ne suis pas un homme riche.

— Je comprends, dit-elle. J'en ai tenu compte.

— Alors il y a un barème ? Vous jetez un œil à la maison et au genre de voiture garée dans l'allée, et si vous repérez une BM, vous faites grimper le tarif ? Ce que le marché est prêt à payer et tout ça ?

Elle commença à se lever une fois de plus.

— Je pense que je vais y aller, monsieur Garfield, si cela ne vous dérange pas…

— Je vous propose la chose suivante, vous me donnez un aperçu de votre vision, un petit avant-goût, et si ça me paraît crédible, alors je vous donne cinq cents dollars. Et si les informations que vous avez me conduisent à Ellie, je vous en donnerai cinq cents autres.

Elle réfléchit un moment, puis elle dit :

— Je vais vous parler de quelques-uns des premiers flashs qui me sont venus. Si vous souhaitez en entendre davantage, savoir comment les images ont évolué, alors je vous révélerai tout pour la somme totale de mille dollars.

Il laissa échapper un long soupir, en se demandant à quoi tout cela pourrait ressembler aux yeux d'un tiers. Sa femme avait disparu, et il était en train de marchander avec cette femme comme s'il achetait une nouvelle Toyota. Il ne savait cependant toujours pas quoi penser de cette femme, et il était sur ses gardes, même s'il sentait qu'il n'avait rien à perdre en acceptant le marché qu'elle lui proposait.

— D'accord.

— Je suis très contente, déclara-t-elle. Non pas seulement parce que nous sommes parvenus à un arrangement satisfaisant, mais parce que je tiens vraiment à vous aider.

— Oui, oui, très bien.

— Avez-vous un objet appartenant à votre femme que je pourrais tenir.

— Pour quoi faire ?

— Ça aide.

— Je croyais que vous l'aviez déjà eue, votre vision. Je ne comprends pas pourquoi vous avez besoin de vous raccrocher à quelque chose.

— Ça fait partie du processus. Certains détails confus de ma vision peuvent s'éclaircir si je suis en possession d'un objet qui appartient à la personne, quelque chose qui a été en contact intime avec elle.

— Qu'est-ce qu'il vous faut ?

— Un vêtement serait le mieux.

— Comme quoi, son peignoir ?

Keisha acquiesça de la tête. Garfield soupira, se leva et monta à l'étage. Un moment plus tard, il redescendait l'escalier un peignoir rose à la main. Celui-ci était décoloré et râpé par des années d'usage.

— Merci, dit Keisha en plaçant le vêtement sur ses genoux et en posant ses deux mains dessus.

Elle passa les doigts sur la flanelle et ferma les yeux. Plusieurs secondes s'écoulèrent sans qu'elle prononce un mot. Garfield finit par interrompre son état de transe :

— La réception est mauvaise ici ? Vous voulez sortir ou quoi ? Pour avoir plus de barres sur votre écran.

Keisha ouvrit brusquement les yeux et le considéra avec une expression proche du mépris.

— Tout cela n'est donc qu'une plaisanterie pour vous, monsieur Garfield ? Votre femme a disparu, vous ne savez absolument pas s'il lui est arrivé quelque chose, et vous plaisantez ?

— Je suis désolé. Allez-y, faites votre truc.

Elle ferma à nouveau les yeux, mit quelques secondes à se reconcentrer.

— J'ai des… picotements.

— Des picotements ?

— Un peu comme quand vos cheveux se hérissent sur votre nuque. C'est à ce moment-là que je sais que je commence à sentir quelque chose.

— Quoi ? Qu'est-ce que vous sentez ?

Keisha ouvrit les yeux.

— Ce qui m'est venu en premier, quand j'ai commencé à détecter quelque chose sur la détresse d'Ellie. Votre femme, elle a…

— Elle a quoi ?

— Elle a froid, dit Keisha. Votre femme a très, très froid.

9

Pendant que Keisha attendait de voir s'il allait mordre à l'hameçon, lui donnant ainsi l'occasion de le ferrer pour de bon, elle réfléchissait à son point de départ. Ratisser large pour commencer, puis restreindre le champ. Pourquoi ne pas commencer par le temps ?

C'était l'hiver, après tout. Tout le monde a froid en hiver. Où que se trouve Ellie Garfield, il était évident qu'elle devait avoir froid. D'accord, le soir de sa disparition, elle avait peut-être mis le cap au sud, droit sur la Floride. Elle aurait pu y être en une journée, et avoir déjà un hâle tout à fait correct.

— Comment ça, froid ? demanda Garfield.

Pour la première fois depuis qu'elle était arrivée, il paraissait intrigué. Captivé.

— Ce que je viens de dire. Elle a très froid. A-t-elle emporté un blouson quand elle est partie jeudi soir ?

— Un blouson ? Bien sûr qu'elle a pris un blouson. Elle n'aurait pas quitté la maison sans un blouson. Pas à cette époque de l'année.

Keisha hocha la tête.

— Je continue à sentir qu'elle a froid. Pas simplement, vous savez, un petit peu froid. Je veux dire glacée jusqu'à la moelle. Peut-être que ce n'était pas un vêtement assez chaud. Ou peut-être… peut-être qu'elle l'a perdu ?

— Je ne vois pas comment. Il suffit de regarder dehors pour savoir que vous allez avoir besoin de votre manteau. Bon sang, il y a dix centimètres de neige dehors.

Il s'enfonça dans le canapé, l'air agacé.

— Je ne vois pas à quoi ça nous avance.

— Je pourrai y revenir, dit-elle. Peut-être que quand je commencerai à détecter d'autres choses, le fait qu'elle ait froid prendra davantage de signification.

— Je pensais que vous aviez eu une vision. Pourquoi ne pas me dire simplement quelle était cette vision au lieu de tripoter le peignoir de ma femme ?

— S'il vous plaît, monsieur Garfield, ce n'est pas comme si ma vision était un épisode de *Seinfeld* et que je puisse vous raconter ce que j'ai vu. Il y a des flashs, des images. C'est comme renverser une boîte à chaussures pleine de photos sur une table. Elles sont en vrac, sans ordre particulier. Ce que je tente de faire, c'est de trier un peu ces photos. En étant assise là, maintenant, dans la maison de votre femme, en tenant quelque chose qui a été en contact avec elle, je peux commencer à assembler ces images, comme les pièces d'un puzzle.

— Vous me faites marcher, là. Je pense que…

— Melissa.

— Quoi ?

— Il y a quelque chose à propos de Melissa ?

— Quoi donc ?

—Il y a ces flashs, de votre fille. Elle pleure. Elle est complètement bouleversée.

—Bien sûr qu'elle est bouleversée. Sa mère a disparu.

—Mais même avant. Melissa, elle est très perturbée.

—Ça, je vous l'ai déjà dit. Ç'a été une gamine difficile. Elle a quitté la maison à seize ans, et maintenant elle est en cloque. Affirmer qu'elle est perturbée, c'est une brillante déduction.

—Il y a autre chose.

Garfield se pencha en avant, les coudes sur les genoux. Vraiment intéressé. Keisha aimait ce qu'elle voyait. Encore deux ou trois petits coups et l'hameçon serait bien enfoncé dans sa joue. Et tout ce qu'elle avait fait jusqu'à maintenant, c'était de lui raconter des choses qu'il savait déjà, des choses que tout le monde savait. C'était l'hiver. Il avait une fille enceinte. La mère de cette dernière avait disparu. Quel enfant ne serait pas bouleversé dans cette situation ? Dans une minute à peu près, elle enfoncerait une autre porte ouverte : la voiture. Mais d'abord, tourmente-le encore un peu avec sa fille.

—Comment ça, autre chose ?

—Quelque chose à propos du bébé…

—Qu'est-ce qu'il a, le bébé ?

—Parlez-moi du père, dit Keisha.

Inverser les rôles, le laisser faire une partie du travail, en lui fournissant quelques cartouches par la même occasion.

—Lester Cody, dit Wendell Garfield, en secouant la tête de frustration. Un dentiste, il gagne trois fois plus que moi, roule en Lexus, un sacré bon parti pour

Melissa si seulement elle ouvrait les yeux et s'en rendait compte. Mais vous savez quoi? Elle n'est pas amoureuse de lui. Il pèse environ quarante kilos de trop et il fera probablement une crise cardiaque avant ses quarante ans, mais en attendant, elle pourrait faire sa vie avec lui.

Il pointa le doigt sur Keisha.

— Le mariage n'est pas qu'une question d'amour. C'est important au début, mais au bout d'un moment, c'est le quotidien qu'il faut assumer. Et Melissa va s'en apercevoir, en élevant un bébé. Elle a besoin du soutien de cet homme. Financier et affectif.

— Et que pense Ellie de tout ça?

Il cligna des yeux.

— Elle… Elle pense comme moi. Je veux dire, au début elle était contrariée parce qu'il était beaucoup plus âgé, mais, tout bien considéré, Melissa aurait pu tomber bien plus mal. Comme ce vendeur au Cinnabon. Non, franchement!

— Ellie et ce M. Cody ont-ils…? Est-ce qu'il y a eu un conflit quelconque entre eux? Je vois des accès de colère, des disputes.

Des accès de colère, ouais, c'était bon, ça. Keisha savait que si elle avait une fille qu'on avait engrossée et qu'elle refuse d'épouser le père, elle essaierait de la raisonner, à moins que le type ne soit un parfait abruti. Mais un dentiste? Qu'est-ce qui n'allait pas chez cette fille? Keisha prendrait probablement le type entre quat'z'yeux pour lui donner quelques tuyaux sur la façon de convaincre sa fille.

On pouvait raisonnablement supposer qu'Eleanor Garfield puisse être dans les mêmes dispositions.

— Elle a téléphoné deux ou trois fois à Lester, précisa Garfield. Le type est plutôt accablé par toute cette histoire. Il tient vraiment à Melissa, et il a l'air prêt à faire le nécessaire pour subvenir aux besoins du gamin, mais elle ne veut rien avoir à faire avec lui.

Il fronça les sourcils.

— Ellie était très contrariée par cette situation. Elle en parlait tout le temps.

Était contrariée ? *Parlait* ?

Passe à autre chose, se dit Keisha. *Il est troublé, ne fait pas attention aux mots qu'il utilise.*

— Pensez-vous qu'Ellie ait pu aller voir Lester, pour lui parler de la situation ?

Il y avait pourtant bien quelque chose de bizarre, non ? Il avait parlé de Melissa et de Lester au présent. Mais quand il avait été question d'Ellie, il avait employé le passé.

Keisha était sûre de ne pas l'avoir imaginé. Elle aurait aimé enregistrer la conversation, pour pouvoir la réécouter. Elle supposait que cela pouvait vouloir dire que Garfield ne croyait déjà plus que sa femme reviendrait à la maison vivante. Qu'il avait déjà accepté le fait qu'elle était morte. C'était certainement une possibilité, et dans ce cas, c'était vraiment dommage, parce que l'espoir était l'ingrédient essentiel. S'il avait perdu espoir, il ne verrait pas d'intérêt à engager Keisha. Après tout, cela faisait presque quatre jours qu'il n'avait pas vu sa femme. On pouvait l'excuser de craindre le pire.

— Êtes-vous en train de suggérer que Lester puisse être mêlé à la disparition de ma femme ? demanda Garfield.

Voilà une idée intéressante. Peut-être qu'à un certain niveau Garfield nourrissait des soupçons. Et Keisha appréciait le fait qu'il commence à lui poser des questions. Comme s'il pensait qu'elle en détenait peut-être les réponses. Il aurait été facile de le conduire sur cette voie, que sa femme était peut-être tombée sur Lester et que, d'une manière ou d'une autre, ils s'étaient disputés au sujet de Melissa, mais Keisha estima qu'il serait plus judicieux de mettre ça de côté pour l'instant, quitte à y revenir plus tard si cela semblait opportun. C'était peut-être ce que Garfield s'attendait qu'elle fasse : orienter cette discussion dans le sens qu'il voulait lui faire prendre. C'était peut-être une sorte de test, alors autant partir dans une autre direction maintenant.

Il était temps de le prendre à contre-pied.

— La voiture, dit-elle.

— Quoi ?

— Je n'arrête pas de voir quelque chose en rapport avec la voiture.

— Quelle voiture ? La voiture de Lester ?

— Non, la voiture de votre femme. Sa Nissan.

Elle l'avait lu sur Internet.

— C'est exact. Un modèle de 2007. Gris métallisé. Qu'est-ce qu'elle a sa voiture ?

Keisha ferma à nouveau les yeux. Souleva ses mains du peignoir qui couvrait encore ses genoux et se frotta les tempes.

— Elle est… La voiture n'est pas sur la route.

Garfield ne dit rien.

— Elle n'est pas sur la route, c'est sûr. Elle est… Elle est…

Garfield semblait retenir son souffle.

—Elle est quoi? interrogea-t-il avec une impatience soudaine. Si elle n'est pas sur la route, où est-ce qu'elle peut bien être alors?

Keisha ouvrit les yeux, et regarda Garfield droit dans les yeux.

—Je ne pense pas pouvoir aller plus loin pour l'instant, monsieur Garfield.

—Qu'est-ce que vous racontez? C'est quoi cette histoire avec sa voiture?

—Monsieur Garfield, je crois que je me rapproche de quelque chose, et que ça va exiger toute ma puissance de concentration. Je ne veux pas être distraite, en me demandant si vous comptez faire le nécessaire.

Il se passa la langue à l'intérieur de la bouche et sur les dents.

—L'argent.

—Oui, dit Keisha.

—Je n'ai pas mille dollars ici.

—Combien avez-vous?

—Trois cents, peut-être.

—Je prendrai un chèque pour le reste, dit-elle.

10

Garfield devait admettre que lorsque cette soi-disant voyante avait évoqué le froid, ça lui avait foutu une sacrée trouille.

Tant qu'elle n'était pas entrée dans les détails, ça ne voulait rien dire. C'était l'hiver. Il faisait froid. La belle affaire. Ça ne faisait pas d'elle un foutu Nostradamus. Elle était aussi compétente pour communiquer avec les disparus et les morts que la fille de la météo au journal de six heures pour prévoir s'il allait neiger le lendemain.

Mais ensuite elle avait parlé de la voiture. Pourquoi avait-elle subitement voulu parler de la voiture ? Et puis elle avait affirmé qu'elle n'était pas sur la route.

Pour ça, elle avait tout bon.

La voiture se trouvait au fond du lac de Fairfield, à plus de soixante kilomètres au nord d'ici. Personne n'allait la retrouver, pas avant très longtemps, sinon jamais. Il devait y avoir entre douze et quinze mètres de fond. La glace s'était déjà probablement reformée en surface. Depuis jeudi soir, il faisait plus froid. Le printemps sera arrivé avant que quiconque ait eu la moindre chance de la trouver. Il faudrait que quelqu'un plonge, à cet endroit précis, pour tomber dessus. Et même si des pêcheurs y accrochaient leurs lignes, la voiture n'allait pas remonter à la surface comme une vieille godasse. Ils devraient les couper, et changer d'hameçons.

Comment Keisha Ceylon pouvait-elle savoir que la voiture n'était pas sur la route ?

Elle pouvait avoir dit ça au hasard. Tout simplement. Elle pouvait avoir inventé tout ça. Mais si ce n'était pas le cas ?

Alors, Garfield ne pouvait imaginer que deux scénarios.

Le premier était que cette femme possédait vraiment une sorte de don de double vue. Il n'avait jamais donné dans ce genre de truc, à la différence de sa sœur aînée Gail, qui croyait tout à fait possible d'avoir été Néfertiti dans une vie antérieure, achetait tous les bouquins de Sylvia Browne – y compris en version audio pour pouvoir les écouter en voiture – et prétendait qu'au moment où leur père était mort, il était apparu devant elle pour lui dire combien il regrettait de ne jamais lui avoir dit qu'il l'aimait. Jerry, le mari de Gail, affirmait qu'elle ronflait comme une forge à cette heure-là, mais passons.

Si Garfield était un sceptique, il était également prêt à admettre qu'il puisse exister certaines forces à l'œuvre qu'il ne comprenait pas entièrement. Peut-être certaines personnes possédaient-elles une sensibilité spéciale et étaient capables de percevoir des choses qui échappaient à tous les autres. Peut-être que cette femme avait réellement des visions. Autrement comment expliquer l'histoire de Nina, la petite fille enlevée par le voisin ?

Et si elle possédait ce don, et avait vraiment eu une vision concernant Ellie, alors elle savait quelque chose.

L'autre scénario, qui n'était pas plus rassurant, était que ce truc de voyante était du cinéma. Une totale imposture. De la foutaise en barre. Une performance d'acteur, pour couvrir le fait que les informations dont elle disposait lui étaient parvenues d'une façon bien moins mystique.

Elle avait *vu* ce qui s'était passé. Non pas dans une vision, mais de ses propres yeux.

Garfield réfléchissait à cela en se dirigeant vers la cuisine pour y chercher les trois cents dollars en espèces et son carnet de chèques.

Supposons qu'elle ait été là ?

Et si Keisha Ceylon était au bord du lac ce soir-là ? Peut-être vivait-elle dans un des chalets qui longeaient la rive. Quand il était allé là-bas, Garfield était sûr qu'il n'y aurait aucun témoin. Cette partie du lac était surtout occupée par des résidences secondaires. À cette époque de l'année, la plupart des bungalows étaient fermés. À la fin du mois de novembre, presque tout le monde avait déjà coupé l'eau, versé de l'antigel dans les canalisations, disposé les pièges à souris, semé çà et là les boules de naphtaline dans les armoires, condamné les fenêtres, et regagné ses confortables pénates en ville jusqu'au printemps.

Mais Garfield devait à présent envisager la possibilité qu'un des bungalows avait été occupé. Quelqu'un – Keisha – avait peut-être regardé par la fenêtre ce soir-là et remarqué une voiture, tous feux éteints, qui roulait sur la glace toute fraîche recouverte d'une fine pellicule de neige. Ce fin croissant de lune était toute la lumière dont on avait besoin pour se faire une idée de ce qui était en train de se passer.

Quelqu'un avait pu voir cette voiture rouler doucement et s'arrêter. Puis apercevoir un homme en descendre côté conducteur avec un balai à la main, et le regarder s'escrimer à effacer les traces de pneus en regagnant la rive.

Et ensuite quelqu'un avait pu voir le même homme s'arrêter et se retourner pour attendre, *attendre* de voir la voiture sombrer à travers la mince couche de glace.

Ce souvenir le fit tressaillir. Cela avait été un supplice. Pendant quelques instants, alors qu'il était là dans le froid glacial, il avait eu la conviction que la voiture ne coulerait pas. Qu'elle resterait là, et serait encore là le lendemain matin au lever du soleil.

Avec le cadavre de sa femme attaché sur le siège passager.

Le matin même, il avait parlé à des clients du Home Depot, un couple qui vivait dans le coin. Ils lui avaient dit que le lac commençait à geler assez rapidement, qu'on pouvait déjà marcher dessus, mais que la glace n'était pas encore assez épaisse pour supporter un poids important. Du moins pas longtemps.

Il n'y avait pas vraiment prêté attention sur le moment. Mais il avait repensé à cette conversation plus tard dans la soirée.

Après ce qui s'était passé. Après son décès.

Quand il avait eu besoin d'un plan.

Peut-être que Keisha Ceylon avait tout vu depuis un des bungalows de la rive du lac. Et quand la disparition de sa femme avait fait les gros titres, elle avait fait le rapprochement.

Et maintenant elle est venue me soutirer du fric, songea-t-il. Pas tout à fait du chantage. Si elle avait été vraiment directe, si elle lui avait dit : « J'ai vu ce que vous avez fait, et si vous ne me payez pas, j'irai raconter à la police ce que je sais », elle aurait pris un sacré risque. Elle savait qu'il aurait trouvé un moyen de la faire taire sans débourser un sou.

Il se serait contenté de la tuer.

Mais dérouler ce numéro de voyante, c'était du pur génie. Elle en savait assez pour piquer sa curiosité, l'inquiéter. L'inquiéter suffisamment pour qu'il la paie afin de savoir ce qu'elle savait au juste. Ensuite, une fois qu'elle aurait son argent, elle resterait suffisamment dans le vague pour qu'il soit à jamais dans le doute. Elle n'aurait jamais à dévoiler son jeu. Elle n'aurait jamais à raconter qu'elle avait été témoin de ce qu'il avait fait. Mais elle lui ferait comprendre que, si elle le voulait, elle pourrait le faire enfermer pour le restant de ses jours.

Eh bien, Keisha Ceylon était loin d'être aussi intelligente qu'elle le croyait.

Wendell Garfield n'avait pas envie de prendre le moindre risque.

11

Après que son père l'eut déposée et qu'elle fut montée à l'appartement, Melissa se sentit vaseuse. Et nauséeuse.

Elle n'avait pas passé la porte depuis une minute qu'elle dut se précipiter dans la salle de bains. Elle tomba à genoux devant la cuvette. Juste à temps.

Elle nettoya et surprit son reflet dans le miroir. «Tu as une très sale gueule», dit-elle. Elle avait les cheveux sales et filandreux, et des valises sous les yeux, ce qui n'était guère surprenant, avec le peu de sommeil qu'elle avait pu s'octroyer depuis jeudi soir.

Melissa posa la main au sommet de son ventre de femme très enceinte, le frotta, perçut quelque chose remuer en dessous. Puis elle sentit son corps se mettre à trembler, ses yeux se voiler. Avec toutes les larmes qu'elle avait versées ces derniers jours, elle n'arrivait pas à croire qu'il lui en restait encore, pourtant elles n'arrêtaient pas de couler.

Elle avait envie de se mettre au lit et de ne jamais se réveiller. Se glisser sous les couvertures, les remonter sur sa tête, et rester comme ça pour toujours. Elle voulait ne jamais plus avoir à affronter le monde.

Il était tellement affreux.

Elle n'arrêtait pas de penser à sa mère, à son père, à Lester, au bébé, à la façon dont sa vie était partie totalement en vrille au cours de l'année écoulée. Et au fait qu'elle n'avait pas l'impression que ça allait s'arranger.

Elle pensait à la conférence de presse et à son père qui était convaincu qu'elle ne devait pas y assister.

— Ne fais pas ça, lui avait-il suggéré. Ne t'inflige pas ça. Ce n'est pas nécessaire. Je peux m'en occuper.

— Non, je dois le faire.

— Melissa, je te dis que…

— Non, papa, il faut que je le fasse. Tu ne pourras pas m'en empêcher.

Elle se rappelait qu'il l'avait saisie par le bras, que cela lui avait fait presque mal. Qu'il l'avait regardée droit dans les yeux.

— Je te le dis, c'est une erreur.

— Si je ne le fais pas, avait-elle rétorqué, les gens penseront que ça m'est égal.

Et donc, à contrecœur, il s'était laissé fléchir. Il était cependant resté très ferme.

— Laisse-moi parler. Je ne veux pas que tu ouvres la bouche, compris ? Tu pourras pleurer autant que tu voudras, mais tu ne diras pas un mot.

Alors elle n'avait pas ouvert la bouche. Elle n'était pas sûre qu'elle aurait pu parler, de toute façon. Comme il l'avait deviné, elle s'était mise à pleurer sans retenue. Et ces larmes n'avaient rien eu de forcé. Elle avait été incapable de s'arrêter. Elle était si incroyablement triste. Et pas uniquement triste.

Elle était terrifiée.

Elle savait que son père l'aimait beaucoup. Elle en était intimement persuadée. Mais cette certitude ne lui procurait aucun réconfort. Pas maintenant.

Il lui avait indiqué quoi dire. Il l'avait fait répéter.

— Ta mère est allée faire des courses et c'est tout ce que nous savons, avait-il dit. Elle est partie comme elle le faisait toujours. Il a pu se passer n'importe quoi. Peut-être qu'elle s'est enfuie pour rejoindre un autre homme, ou…

— Maman ne ferait jamais ça, avait rétorqué Melissa en reniflant.

Elle se demanda si elle n'avait pas un peu trop appuyé sur le mot « Maman », si son père n'allait pas y détecter quelque chose. Elle l'avait vu ce fameux soir, sortir du Day's Inn et monter avec une bonne femme dans sa voiture. Mais elle ne lui avait jamais rien révélé, n'avait jamais laissé entendre qu'elle était au courant.

S'il avait remarqué quelque chose dans le ton de sa voix, il n'en montra rien. Il était trop occupé à se préparer pour la conférence de presse. Il n'arrêtait pas de lui enfoncer dans la tête la version qu'elle allait donner quand la police l'interrogerait. Parce que la police allait vouloir lui parler, elle pouvait en être sûre.

— … ou peut-être que c'est ce type qui vole des voitures en menaçant les gens, peut-être que c'est lui qui a fait ça. Il a pu se passer des tas de choses. Le monde est plein de tarés. La police aura toutes sortes de théories, et s'ils n'élucident jamais l'affaire, eh bien ! ainsi soit-il.

— D'accord.

— L'important, c'est que tu ne saches rien. Que tu n'aies aucune explication. Tu étais seule chez toi ce soir-là. C'est tout ce que tu sais. On est bien d'accord ?

— Oui, papa.

Elle se glissa dans le lit, se coucha sur le flanc, posa sa tête sur l'oreiller. Elle arracha quelques mouchoirs en papier de la boîte sur sa table de chevet et se tamponna les yeux.

Le téléphone sonna.

Elle se dit que c'était peut-être son père, et tendit le bras pour saisir le combiné sans regarder l'écran.

— Allô ?

— Oh, mon Dieu, Mel ? C'est bien toi ?

Sa colocataire, Olivia.

— C'est moi.

— Je viens d'avoir ce message sur Facebook au sujet de ta mère, oh mon Dieu, qu'est-ce qui s'est passé ?

— Elle est partie, répondit Melissa, qui se rendit immédiatement compte qu'il aurait été préférable de dire qu'elle avait disparu.

— Partie où ? demanda Olivia.

— J'en sais rien. Elle est allée faire des courses jeudi soir et on ne l'a pas revue depuis. J'étais seule à la maison alors je ne sais rien du tout.

Elle présenta la chose exactement comme le lui avait ordonné son père.

— Mais qu'est-ce qui s'est passé, d'après eux ? persista Olivia. Elle a eu un accident ? Sa voiture a dévalé une colline et ils ne l'ont pas encore retrouvée ?

—Je n'en sais rien, d'accord ? On ne sait pas. On espère juste que la police la retrouvera.

—Qu'est-ce que je peux faire pour toi ? Je m'en veux terriblement de ne pas être là. Comment va ton père ? Comment il s'en sort ?

Oh, il va très bien, songea Melissa.

—Excuse-moi, Olivia, dit-elle, il faut que j'y aille.

—Oui, mais…

Melissa raccrocha.

—Je ne peux pas faire ça, dit-elle tout haut.

Si elle était incapable de répondre à quelques questions posées par sa colocataire, comment espérait-elle tenir le coup sur le long terme ? Combien de temps pourrait-elle garder le secret ? Combien de temps pourrait-elle se retenir de raconter ce qui s'était réellement passé ?

Qu'est-ce que sa mère lui disait déjà ?

Tu dois vivre ta vie comme si quelqu'un te regardait tout le temps. Comporte-toi d'une façon qui ne te fera jamais honte.

Elle roula de l'autre côté du lit, puis se retourna encore une fois. C'était si difficile de trouver une position confortable à cause du bébé. Elle finit par rejeter les couvertures et par s'asseoir au bord du lit, les pieds par terre et la tête dans les mains.

—Je ne peux pas faire ça, répéta-t-elle. Je dois faire ce qui est juste. Peu importe qui en fait les frais.

Elle se demanda si elle devait appeler un avocat, mais elle n'en connaissait aucun. Elle ne voulait pas en choisir un au hasard dans l'annuaire. Elle devrait peut-être appeler Lester. Un dentiste devait sans doute connaître un avocat. Médecins et dentistes ne se faisaient-ils pas poursuivre en justice tout le temps ? Mais est-ce que c'était vraiment utile ? Si elle projetait de dire la vérité, avait-elle besoin de quelqu'un pour la représenter ?

Melissa décida de prendre une douche d'abord, de se rendre présentable mais avant, elle téléphona pour commander un taxi. Demanda à ce qu'il soit devant sa porte dans une heure. Elle resta sous le jet jusqu'à ce qu'il n'y ait plus d'eau chaude.

Elle s'habilla lentement. Elle voulait être jolie. Elle n'avait plus beaucoup de vêtements qui lui allaient ces temps-ci, mais elle dénicha quelque chose d'ample et de bouffant qui ferait l'affaire. Elle était sur le trottoir quand la voiture jaune apparut à l'angle de la rue. Quand elle monta, le chauffeur lui demanda où elle souhaitait se rendre.

— Au poste de police, répondit-elle.

— Ça roule, dit-il avant d'éclater de rire. Je pensais que vous alliez dire l'hôpital.

— J'ai encore deux mois devant moi. Je ne vais pas accoucher dans votre taxi.

— C'est bon à savoir, dit-il en enclenchant la marche avant. Personne n'a jamais pondu de gamin dans mon taxi et si ça pouvait continuer comme ça, ça m'irait très bien.

Elle ne desserra pas les dents pendant tout le trajet. Elle était trop occupée à penser.

À se dire que son père serait furieux après elle.

12

Garfield semblait prendre son temps dans la cuisine, mais quand il revint, il avait une liasse de billets à la main, ainsi qu'un chèque.

— Il se trouve que j'avais quatre cent vingt dollars en liquide, alors vous pouvez les prendre, et j'ai fait un chèque de cinq cent quatre-vingts, dit-il en lui tendant le tout. Je l'ai laissé en blanc. Je n'étais pas sûr de l'orthographe de votre nom. C'est un nom plutôt étrange que vous avez.

Il avait manifestement oublié que sa carte de visite se trouvait dans sa poche de chemise, mais ce n'était pas grave, elle pourrait mettre le chèque à son nom plus tard. Elle y jeta un rapide coup d'œil pour s'assurer que tout le reste était en ordre. Il était surprenant de constater le nombre d'erreurs délibérées que les gens faisaient pour qu'il soit impossible d'encaisser leurs chèques. Ils se trompaient de date, ou ne les signaient pas. Keisha connaissait toutes les astuces. Elle les avait elle-même utilisées contre son propriétaire. Mais celui-ci avait l'air tout à fait valable. Elle déploya les billets en éventail pour s'assurer que le compte y était, glissa le chèque entre les billets, puis mit le tout dans une poche ménagée dans la doublure de son sac à main, qu'elle reposa à ses pieds, ouvert, sur le tapis.

—Est-ce que tout va bien? s'informa-t-elle. Vous vous êtes absenté longtemps.

Elle s'était demandé, à un moment donné, s'il n'avait pas appelé la police.

—Bien, très bien, répondit-il. Je ne trouvais pas de stylo.

—Vous auriez dû me poser la question. J'en ai toujours deux ou trois dans mon sac.

—J'en ai trouvé un dans le tiroir.

—Bon, si on continuait?

—Je vous fais du café?

—Non, merci.

—J'allais me préparer une tasse de thé quand vous avez frappé à la porte. Vous en voulez?

—Non, ça va.

Garfield s'assit sur le canapé.

—Alors, vous habitez ici? À Milford?

Qu'est-ce qui se passait? Elle avait amené Garfield au bord du précipice avec l'histoire de la voiture de sa femme qui ne se trouvait pas sur la route. Elle le tenait à ce moment-là. Il était intrigué, ça ne faisait aucun doute.

C'était le moment idéal pour l'attaquer au portefeuille.

Il était donc parti à la cuisine pour trouver l'argent liquide et lui rédiger un chèque. Et maintenant, au lieu de s'intéresser à ce qu'elle voulait lui dire, il lui demandait si elle voulait du café, du thé, où elle habitait.

Cherchait-il à gagner du temps? Peut-être avait-il effectivement appelé la police, qu'il leur avait indiqué qu'il y avait une folle chez lui qui essayait d'exploiter sa situation. Mais elle l'aurait entendu. Et elle était sûre qu'il n'avait pas quitté la cuisine.

—Je suis désolée, quelle était votre question ?

—Vous habitez Milford ?

—Oui, pas loin d'ici. Juste avant de traverser le pont qui conduit à Stratford. Cela fait un moment que nous habitons là.

—Des enfants ?

—J'ai un fils. Il a dix ans.

—Un fils, répéta-t-il d'un ton presque mélancolique. Ça aurait été bien d'avoir un garçon. Non pas que je regrette d'avoir eu Melissa. Mais un garçon, en plus de ma fille, ç'aurait été merveilleux.

Il sourit.

—Alors, Keisha, vous passez toute l'année en ville ? ou vous possédez une résidence secondaire ?

Décidément, ça devenait très bizarre.

—Je n'ai qu'un logement, monsieur Garfield, et j'y vis toute l'année. Voulez-vous entendre ce que j'ai à dire ou pas ? Vous m'avez payée pour cela. Je suppose que vous aimeriez en avoir pour votre argent.

D'un geste de la main, il l'invita à poursuivre.

—Je vous en prie.

—Comme je le disais, j'ai eu des sortes de flashs de la voiture que votre femme conduisait.

Keisha avait toujours les mains sur le peignoir, dont elle triturait le tissu de temps à autre.

—La Nissan gris métallisé.

—Vous avez dit que la voiture n'était pas sur la route. Si elle n'est pas sur la route, où est-elle ?

Keisha ferma à nouveau les yeux.

— Ce n'est pas… un parking. J'imagine que ce serait quand même considéré comme faisant partie de la route, en un sens. Je ne la vois pas dans un garage.

— Et de l'eau ? interrogea Garfield. Est-ce que vous voyez de l'eau ?

Bizarre, songea Keisha. Il venait de lui demander si elle possédait une résidence d'été, et voilà qu'il parlait d'eau. Elle avait pensé à la Floride tout à l'heure. Peut-être que Garfield en savait plus qu'il ne le prétendait. Peut-être que sa femme était partie pour Miami avec un autre homme mais qu'il avait trop honte pour l'admettre. Mais enfin, maintenant qu'elle avait déclaré qu'Ellie Garfield avait très froid, elle ne pouvait pas se contredire en évoquant la Floride comme une possibilité.

Restes-en au froid. S'il fait froid, l'eau pourrait être… gelée.

Elle ferma les yeux un moment, les rouvrit.

— C'est drôle que vous parliez justement d'eau. Je voyais quelque chose, quelque chose de miroitant, que je pensais pouvoir être de l'eau, mais c'était peut-être de la glace, en fait.

— De la glace, répéta Garfield.

Cette fois-ci, elle garda les yeux ouverts.

— Oui, de la glace. De la glace dans un verre ? La glace d'une patinoire ? Une surface glacée ? Peut-être du verglas, sur la route, qui a fait déraper la voiture ? Est-ce que la glace, sous quelque forme que ce soit, revêt la moindre signification pour vous ? Une signification en rapport avec votre femme ?

— Pourquoi ça devrait signifier quelque chose pour moi ? demanda Garfield, sur la défensive.

— C'est vous qui avez parlé d'eau.

— Et vous qui avez parlé de glace. Je n'ai pas parlé de glace, moi.

— On a l'impression pourtant que cela a une signification pour vous, insista Keisha. Je l'ai deviné, à votre expression.

— Pourquoi avez-vous parlé de surface glacée ? Vous voulez dire, comme un lac gelé ?

— C'était juste une sorte de glace, une parmi beaucoup d'autres. Mais je vois bien qu'il semble y avoir une connexion. Pourquoi ne me dites-vous pas ce que cela pourrait être ?

Garfield se leva. Fit quelques pas vers la droite du canapé, se retourna et repartit dans l'autre sens. Il se caressait la pointe du menton, réfléchissait à quelque chose.

— Qu'est-ce qu'il y a ? demanda Keisha.

Il continua de faire les cent pas quelques secondes encore, puis s'arrêta. Il regarda Keisha, l'observa attentivement un moment, puis pointa un doigt accusateur dans sa direction.

— Il est peut-être temps d'être honnête avec moi.

— Honnête avec vous à quel propos ?

— À propos de ce qui se passe vraiment ici.

— Je suis désolée, monsieur Garfield, mais je ne suis pas sûre de comprendre.

— Ce numéro à la Mme Irma que vous me jouez, c'est rien que des conneries, n'est-ce pas ?

Keisha soupira.

— Je vous l'ai dit, si vous voulez appeler le père de Nina pour vous faire une idée plus précise, ça ne me pose aucun problème. Je veux bien vous donner le numéro.

—Vous avez un complice qui se tient prêt à prendre l'appel ? Quelqu'un qui me dira ce que j'ai envie d'entendre ?

Keisha secoua la tête et lui décocha un regard meurtri. Pour essayer de lui faire croire qu'il l'avait blessée. En fait, elle se disait que c'était une bonne chose qu'il ait payé la moitié en liquide, et qu'elle ait aussi le chèque. Elle passerait à sa banque en rentrant chez elle, et l'encaisserait avant qu'il décide d'appeler pour faire opposition.

—Je regrette sincèrement que vous pensiez cela de moi, monsieur Garfield. Juste au moment où je croyais que nous faisions de réels progrès. Il me reste beaucoup à vous révéler.

—J'imagine. Et quoi que vous sachiez, quoi que vous pensiez savoir, ça n'a rien à voir avec des visions, des confidences reçues des morts ou de voyance dans le marc de café. Ce que vous savez, vous l'avez appris d'une autre façon.

—Je vous assure que je…

—Donnez-moi le peignoir de ma femme. Je ne veux plus que vous y touchiez.

Keisha lui tendit le vêtement. Elle n'avait manifestement plus rien à faire ici.

—Merci, fit-il en le roulant en boule.

Keisha se baissa pour prendre son sac à main, le posa sur ses genoux, vérifia que la fermeture à glissière était bien fermée sur le dessus, et commençait à se lever quand Garfield lui dit :

—Non, ne partez pas tout de suite.

—Je ne vois pas pourquoi je resterais plus longtemps, monsieur Garfield. Je vois bien que vous voyez en moi une sorte d'arnaqueuse. Je fais cela depuis suffisamment longtemps pour savoir quand on doute de mes talents. Alors, je préfère m'en aller, déclara Keisha en pensant : *Ne me demande pas de te rendre ton chèque, enfoiré. Il faudra que tu fouilles dans mon sac pour le récupérer.*

— Je vous ai offensée ? Je suis vraiment désolé si c'est le cas.

— Vous venez de m'accuser d'être malhonnête et je ne devrais pas me sentir offensée ?

Il continuait à marcher de long en large en tripotant le peignoir, comme s'il façonnait une boule d'argile. Keisha le regarda faire quelques pas dans un sens, puis dans l'autre. Ce devait être ainsi qu'il mettait ses pensées en forme, en faisant ces petits va-et-vient dans la pièce.

— Vous êtes très intelligente, je dois vous accorder ça, avoua-t-il.

Keisha ne souffla mot. Elle commençait à avoir une petite idée de ce qui se tramait. Elle aurait dû percuter un peu plus tôt.

— Très, très intelligente, martela-t-il en s'approchant d'une des fenêtres du salon pour regarder dans la rue à travers les lames des stores. Ce qui le plaça sur le côté et un peu dans le dos de Keisha, qui dut se retourner dans son fauteuil pour mieux le voir.

— J'aimerais vous présenter mes excuses. Oubliez ce que je viens de dire. Continuez, je vous en prie. Dites-m'en davantage sur votre vision.

— Monsieur Garfield, je ne suis pas sûre…

— Non, non, j'insiste, continuez.

— Voulez-vous que je revienne à la glace, ou que je passe à autre chose ?

— Pourquoi ne pas dire simplement ce qui vous passe par la tête ?

Keisha avait un mauvais pressentiment. Elle n'avait jamais eu affaire à quelqu'un comme Garfield. Il partait dans tous les sens. À un moment donné, il s'était désintéressé de ce qu'elle avait à raconter, puis avait voulu qu'elle s'en aille, et voilà qu'il semblait changer d'avis, lui demandant de lui en dire davantage.

Il se fichait de ses révélations, mais il ne voulait pas qu'elle parte.

Quelque chose n'allait pas du tout. Et elle pensait savoir quoi.

C'est lui. Il l'a fait.

Cela expliquait tout. Elle se serait giflée de ne pas l'avoir compris plus tôt. Elle pratiquait ce « métier » depuis suffisamment longtemps, bien sûr, pour savoir que quand une femme était assassinée, ou avait disparu, le mari était toujours le premier suspect. Les gens se faisaient rarement tuer par des inconnus. Les femmes étaient assassinées par leurs maris. Les maris par leurs femmes.

Garfield s'était écarté de la fenêtre et passait derrière le fauteuil de Keisha. Elle allait devoir se retourner pour le tenir à l'œil.

— À la réflexion, parlez-moi de la glace.

Ce qui l'avait égarée, c'était la conférence de presse télévisée. Elle avait pensé, au départ, que si la police soupçonnait fortement Garfield d'avoir supprimé sa femme, ils ne l'auraient jamais laissé s'exprimer devant les caméras. Elle devait admettre qu'il était doué. Ses larmes avaient eu l'air sincères. La façon dont il avait pris sa fille enceinte dans ses bras pour la consoler, ça aussi c'était drôlement convaincant.

Non pas qu'il ne lui soit jamais venu à l'esprit que les gens qu'elle arnaquait pourraient être autre chose qu'innocents. Les coupables faisaient parfois les meilleures cibles. Ils pouvaient être tellement impatients de prouver qu'ils étaient autant dans le noir que les autres qu'ils sautaient sur l'occasion de payer pour entendre ce qu'elle avait à révéler.

En se disant à eux-mêmes : *Je suis un innocent très convaincant. Jamais un véritable meurtrier ne paierait pour recevoir l'aide d'une voyante.*

Cela expliquait peut-être pourquoi Garfield, au départ, avait accepté de l'écouter. Mais quelque chose s'était produit pendant leur conversation. Il avait changé son fusil d'épaule. Il était devenu de plus en plus anxieux. Avait-elle mis le doigt sur quelque chose ? Par hasard ?

Était-ce quand elle avait prétendu que sa femme avait froid ? Quand elle avait dit que la voiture avait quitté la route ? Ses remarques avaient-elles été suffisamment proches de la vérité pour faire croire à Garfield qu'elle savait vraiment ce qui s'était passé ?

Il était temps de se tirer de ce mauvais pas. Peut-être même – elle n'arrivait pas à croire qu'elle envisageait cette possibilité – de lui rendre son argent. Lui annoncer quelque chose comme : « Vous savez quoi ? Quelle que soit la vision que j'ai pu avoir, elle a disparu. Je ne sens plus rien. Les signaux se sont évanouis. Terminés les flashs. Je pense donc que la meilleure chose à faire serait de vous rendre votre argent et de m'en... »

Mais juste à ce moment-là, une tache rose surgit devant ses yeux. Pas une vision cette fois. C'était la ceinture, la ceinture du peignoir.

Et maintenant Garfield la passait autour de son cou et serrait fort.

13

L'inspecteur Rona Wedmore, de la police de Milford, se présenta au comptoir du service client du Home Depot et expliqua qu'elle enquêtait sur la disparition d'Eleanor Garfield, l'épouse d'un de leurs employés.

— Nous souhaiterions parler à des gens avec qui travaille M. Garfield, pour voir s'ils peuvent nous être utiles d'une façon ou d'une autre?

— Ah, oui? répondit une petite femme ronde en tablier orange.

— Nous pensons que Mme Garfield connaît peut-être ou fréquente certains collègues de son mari.

— Je ne pense pas qu'elle connaisse qui que ce soit ici, objecta la femme. Je ne pense pas l'avoir jamais rencontrée, je ne pense même pas l'avoir vue dans le magasin. On se sent vraiment mal pour Wendell. C'est vraiment affreux.

Rona jeta un coup d'œil au badge de l'employée.

— Vous estimez connaître M. Garfield aussi bien que n'importe qui ici, Sylvia?

La femme haussa les épaules.

— Je le connais assez bien.

Elle se pencha au-dessus du comptoir pour ne pas avoir à élever la voix.

—Mais je suppose que si vous cherchez la personne qui le connaît le mieux, vous devriez sans doute parler à Laci.

—Laci?

—Laci Harmon, précisa Sylvia en hochant la tête d'un air entendu.

—Mme Harmon et M. Garfield sont-ils amis, Sylvia?

—C'est que je veux rien affirmer qui pourrait causer du tort à qui que ce soit, biaisa Sylvia.

—Qu'entendez-vous par là?

—Rien, rien du tout. Je dis juste que si vous voulez parler à quelqu'un qui connaît Wendell, vous savez, assez *intimement*, c'est à elle qu'il faudrait s'adresser.

Elle avait souligné le mot juste comme il le fallait.

—Je vois, fit l'inspecteur Wedmore. Savez-vous si elle est dans le magasin en ce moment?

—Vous la trouverez probablement aux appareils électriques ou peut-être aux luminaires.

Rona s'éloigna dans la direction que Sylvia lui avait indiquée. Elle ne trouva que des clients dans l'allée des composants électriques, mais une femme réapprovisionnait des étagères sous une batterie de luminaires. Wedmore sentait leur chaleur accumulée au-dessus de sa tête.

—Excusez-moi, dit-elle. Êtes-vous Laci Harmon?

La femme se retourna en sursautant. Wedmore lui donna quarante-cinq ans environ, et dans les quatre-vingts kilos. De jolies rondeurs là où il fallait, un peu trop là où il ne fallait pas. Elle avait des cheveux bruns tout raides, ne portait pas de maquillage, et regarda Wedmore à travers une paire de lunettes à monture noire trop grande.

—Oui?

Wedmore produisit sa pièce d'identité.

—J'essaie de comprendre ce qui est arrivé à Eleanor Garfield.

—Oh! Ellie! C'est terrible.

—Nous espérons que non! Nous interrogeons toutes les personnes susceptibles de nous aider, et je crois comprendre que vous et M. Garfield êtes collègues.

Le cou de Laci Harmon s'empourpra.

—Oui, bien sûr, on travaille tous avec Wendell. Il a beaucoup de collègues. Je ne suis certainement pas la seule.

—Il paraît que vous le connaîtriez un peu mieux que les autres ici.

—Qui a prétendu ça?

—Ce n'est pas vrai?

Laci eut un haussement d'épaules.

—Je veux dire, on se parle, c'est sûr. Quand on voit quelqu'un tous les jours au travail, on se salue, on se taquine, ce genre de choses. Pas de quoi en faire une histoire.

—Je n'en faisais pas, objecta Wedmore. Vous m'avez l'air un peu nerveuse, madame Harmon. Est-ce que tout va bien?

—Je vais bien. Parfaitement bien. C'est juste que je ne me fais pas interroger par la police tous les jours, vous savez.

—Vous avez l'impression d'être soumise à un interrogatoire? Je ne vous pose que quelques questions informelles, pourtant.

Laci Harmon éclata d'un rire nerveux.

—Je suppose qu'on est tous un peu à cran, c'est tout. On s'inquiète pour Wendell. Vous comprenez, à cause d'Ellie.

—Bien sûr, je peux comprendre cela. Connaissez-vous Mme Garfield ?

Laci secoua la tête.

—Non, je ne la connais pas. Je l'ai peut-être croisée une fois, à une fête du personnel il y a deux, trois ans, mais je ne la reconnaîtrais pas si je tombais sur elle.

Elle plaqua la main sur sa bouche.

—Ce n'est pas bien ce que je viens de dire. Comme si je voulais tomber sur elle. Qu'elle était par terre.

Un rire nerveux.

—Mon Dieu, on croirait entendre une idiote.

Wedmore s'abstint de tout commentaire, mais pensa que sur le badge de cette femme on aurait dû lire le mot COUPABLE.

—Comme je vous l'ai indiqué, je suis vraiment inquiète pour elle, j'espère qu'elle va bien.

—Pourquoi êtes-vous si inquiète à son sujet si vous ne la connaissez pas vraiment ?

—On n'est pas obligé de connaître quelqu'un pour s'inquiéter à son sujet. Je veux dire, quand il arrive quelque chose à une personne qui est liée à quelqu'un à qui l'on tient, je ne pense pas que ce soit inhabituel.

—Vous tenez à Wendell ? demanda Wedmore.

—D'accord, le mot était peut-être mal choisi. Je tiens à lui comme je tiens à n'importe lequel de mes collègues, vous comprenez ? Rien de plus.

Elle balaya de la main le filet de sueur qui coulait le long de sa tempe.

— Il fait chaud sous toutes ces lampes.

Rona aussi avait chaud, mais elle affirma :

— Moi, je me sens bien.

Elle aurait pu proposer de poursuivre cette conversation ailleurs, mais estima que le lieu convenait parfaitement.

— Depuis combien de temps connaissez-vous M. Garfield ?

— Eh bien, j'ai commencé ici il y a trois ans. Je travaillais chez Sears avant, mais ils ont commencé à publier des offres d'emploi ici, j'ai posé ma candidature parce que c'est plus près de chez moi, et Wendell travaillait déjà ici à ce moment-là, alors je dirais trois ans. Oui, ça doit être ça. Trois ans.

— Comment vous a-t-il paru dernièrement ?

— Que voulez-vous dire ?

— Ce que j'ai dit. Comment était-il ? Égal à lui-même ? Se comportait-il comme s'il était soumis à davantage de stress ?

— Bien sûr qu'il doit être stressé. Enfin, sa femme a disparu. Qui ne serait pas stressé ?

— Vous lui avez donc parlé depuis que sa femme a disparu ?

— Pardon ?

— Je vous demande si vous lui avez parlé depuis que sa femme a disparu ?

— Euh, laissez-moi réfléchir.

Elle passa ses doigts sur son menton dans une attitude de concentration exagérée.

— Madame Harmon, ça ne fait que trois jours environ. Vous avez du mal à vous rappeler des événements aussi récents ?

— Non, non, j'essayais juste de me rappeler quand *exactement* je l'avais appelé. Vous savez, pour lui dire qu'on pensait tous à lui ici au magasin, que si on pouvait faire quoi que ce soit, on était là.

— Et quand *exactement* pensez-vous avoir passé ce coup de fil ?

— Je crois que c'était ce matin, précisa-t-elle. (Elle se força à sourire et salua le retour de ses souvenirs d'un hochement de tête.) Oui, en réalité, c'était ce matin.

— Excellent, commenta l'inspecteur Wedmore. Et qu'est-ce que M. Garfield vous a dit ?

— Oh, vous savez, les formules habituelles, merci d'appeler, c'est difficile, bla-bla-bla.

Elle hochait tellement la tête qu'elle rappela à Wedmore un de ces chiens au cou articulé qu'on voyait autrefois sur les plages arrière des voitures.

Plutôt que d'ajouter quoi que ce soit, Wedmore croisa les bras et la dévisagea.

— Qu'est-ce qu'il y a ?

Wedmore restait muette.

— Vous saviez déjà tout ça, n'est-ce pas ? demanda Laci.

— Quoi donc ?

— À propos du coup de téléphone.

— Qu'est-ce qui vous fait dire ça ?

— Je le savais. Je lui ai dit que vous alliez peut-être le faire.

— Faire quoi, madame Harmon ?

131

— Mettre sa ligne sur écoute. C'est vrai, non ? Vous avez mis sa ligne sur écoute. Vous surveillez ses appels téléphoniques. Je sais que vous ne pouvez pas l'admettre, je comprends, mais c'est logique.

— Pourquoi avez-vous indiqué à M. Garfield que vous pensiez que la police avait pu mettre sa ligne sur écoute ?

— Oh, mon Dieu, alors c'est vrai ? Oh, mon Dieu, non !

— Pourquoi pensez-vous que nous surveillerions sa ligne, Laci ?

— Je vous le jure, je n'ai rien à voir avec ça.

— Avec quoi, Laci ?

— Je veux dire, je ne sais pas ce qu'il a fait avec elle. Je ne sais même pas s'il a fait quelque chose avec elle. Mais si c'est le cas, il faut que vous sachiez que je n'ai rien à voir avec ça. Je ne me laisserais jamais embarquer dans quelque chose de ce genre. J'ai des enfants.

L'inspecteur hocha la tête avant de demander :

— Depuis quand entretenez-vous une liaison avec lui ?

Laci posa la main sur son front, leva les yeux vers les luminaires brûlants.

— Oh, non, c'est affreux, c'est…

— Pensez-vous que Wendell Garfield a fait quelque chose à sa femme ?

— Je ne peux pas… oh, c'est juste… s'il vous plaît, ne le dites pas à mon mari.

— Il n'est pas au courant de votre liaison ?

— Il ne s'en doute absolument pas. Je vous en prie… il revient plus tard dans la journée de Schenectady avec les gosses. S'il vous plaît, promettez-moi que vous ne lui direz rien.

— Madame Harmon, j'ai bien peur de ne pouvoir faire aucune…

Le téléphone de l'inspecteur sonna. Elle le sortit de sa poche et le plaqua contre son oreille.

— Wedmore.

— Kip à l'appareil.

Un collègue.

— Quoi de neuf ?

— La fille de votre mère de famille disparue vient de se présenter. Je crois qu'elle a des choses à vous révéler.

14

Rona Wedmore trouva Melissa Garfield dans la salle d'interrogatoire en compagnie de Kip Jennings. Il avait gardé un œil sur Melissa jusqu'à l'arrivée de Wedmore.

—Salut, dit Kip quand Rona entra. On parlait justement d'enfants.

Les yeux de Melissa brillaient. Elle ne pleurait pas, mais il était à peu près certain qu'elle avait pleuré, à un moment ou à un autre, depuis qu'elle avait poussé la porte du commissariat.

—Bonjour, Melissa, dit Rona. Comment ça va ? Je sais que c'est une question bête, étant donné ce que vous traversez, mais comment vous tenez le coup ?

—Pas très bien.

—Oui, je me doute.

—Melissa aimerait te parler de son père, intervint Kip, qui se leva de sa chaise et s'effaça pour céder la place à sa collègue.

—Bien sûr, je comprends, ajouta Rona, en s'asseyant tandis que Kip sortait discrètement. Il traverse une période très difficile. Il doit être malade d'inquiétude. Tout comme vous.

—Je veux vous révéler quelque chose, déclara Melissa.

— D'accord.

— Mais avant que je vous le dise, je veux que vous me promettiez quelque chose.

— Vous promettre quelque chose à quel sujet ?

— Au sujet de mon père.

— Eh bien, c'est assez difficile de vous promettre quoi que ce soit avant de savoir ce que vous demandez.

— Je veux que vous le ménagiez.

— Le ménager ?

Melissa acquiesça de la tête.

— À cause, vous savez, comment vous appelez ça ? Des circonstances atténuantes. Je veux dire, je sais qu'en venant ici et en vous racontant certaines choses, ça pourrait causer des ennuis à mon père, mais je veux que vous me promettiez que vous prendrez tout en considération.

— C'est ce que nous faisons toujours, assura Rona. Mais je ne peux pas vous promettre que les actes qu'aurait pu commettre votre père seront sans conséquence.

— C'est juste que j'ai horreur de lui attirer des ennuis. Même si je sais que c'est sans doute ce qui va se passer.

— Melissa, je pense que vous devez faire ce que vous savez être juste. Je pense que vous portez un énorme fardeau en ce moment, et faire ce qu'il faut va vous soulager considérablement. C'est pour cela que vous êtes ici, n'est-ce pas ?

— En quelque sorte, admit Melissa, mais, avant toute chose, il faut vraiment que je fasse pipi. Vous savez avec le bébé et tout ça.

—Bien sûr, pas de problème. Laissez-moi vous montrer le chemin.

Melissa alla aux toilettes et, deux minutes plus tard, elles étaient à nouveau assises l'une en face de l'autre. Melissa avait une main sur la table, l'autre sur son ventre.

—J'aime vraiment mon père, dit-elle. Vraiment.

—Bien sûr. Et je parie que vous aimez aussi votre mère.

Melissa baissa les yeux.

—Melissa, reprit l'inspecteur avec douceur. Pouvez-vous me dire… si votre mère est encore vivante ?

Melissa marmonna quelque chose si doucement que Rona n'entendit pas ce qu'elle avait dit.

—Pardon ?

—Non.

—Non, elle n'est pas vivante ?

—C'est ça. Papa va vraiment être furieux contre moi de vous avoir dit ça.

—Nous pouvons veiller à ce qu'il ne vous fasse pas de mal.

—Il ne me ferait pas de mal, mais il va être super-vénère.

—Je peux certainement comprendre cela. Mais je suppose que vous souhaitez rendre justice à votre mère.

—C'est aussi plus ou moins ce que je pensais.

—Pourquoi ne pas commencer par me dire où se trouve votre mère ?

—Elle est dans la voiture.

L'inspecteur hocha la tête.

— Vous devez parler de la voiture de votre mère. La Nissan.

— C'est ça.

— Et où est la voiture, Melissa ?

— Au fond du lac.

Nouveau hochement de tête de l'inspecteur.

— D'accord. Et de quel lac parlez-vous ?

— Je ne connais pas son nom, mais je dois pouvoir vous montrer comment y aller. C'est à une heure de voiture, je pense. Mais même si je vous emmène là-bas, je ne connais pas l'endroit exact. Et la glace s'est probablement déjà reformée. Il a fait froid. Je sais juste qu'elle est dans le lac. Dans la voiture.

— D'accord, ce n'est pas un problème. Nous avons des plongeurs pour ce genre de situation.

Melissa parut surprise.

— Ils peuvent se mettre à l'eau même quand il fait super-froid ? Et quand il y a de la glace ?

— Oh, oui, ils ont ces combinaisons spéciales qui les aident à rester au chaud.

— Moi, je ne pourrais pas faire ça. Nager dans de l'eau glacée. Je ne peux même pas me baigner dans une piscine si elle n'est pas à trente, trente-deux.

Wedmore lui adressa un sourire chaleureux.

— Je suis comme ça aussi. Il faut que ce soit de la soupe avant que je m'y mette. Alors, Melissa, votre père, c'est lui qui a mis la voiture dans l'eau ?

— Oui. Il a roulé sur le lac, là où la glace était mince. Et puis il a attendu que la voiture passe à travers.

La jeune femme se mit à larmoyer.

— Comment savez-vous cela, Melissa ? C'est votre père qui vous a dit ce qu'il avait fait ?

—Je l'ai vu. J'ai vu la voiture traverser la glace.

—Où étiez-vous?

—J'étais sur la rive, je regardais.

Une larme solitaire coula sur sa joue. Elle se mordit la lèvre, s'efforçant de tenir bon.

—Pourquoi étiez-vous là?

—Mon père avait besoin d'une voiture pour rentrer. Je l'avais suivi.

—Vous avez donc tout vu?

Elle fit oui de la tête.

—Melissa, connaissez-vous une femme appelée Laci Harmon?

—Je sais qui c'est. Elle travaille au Home Depot avec mon père.

—Savez-vous si ce sont des amis proches?

Melissa baissa les yeux.

—Je pense qu'ils ont une liaison.

—Ça dure depuis combien de temps, à votre avis?

—Je ne sais pas. Je ne les ai surpris qu'une seule fois ensemble.

—C'était quand?

—Il y a un mois. Je passais devant un hôtel et j'ai aperçu la voiture de mon père et je l'ai vue, elle, sur le siège de devant avec lui. Ils étaient plus ou moins en train de baisouiller.

—Ça vous a fait quoi?

—J'ai trouvé ça triste. Et un peu… flippant.

—Vous avez dit à votre père que vous l'aviez vu avec cette femme?

—Non.

—Et votre mère? Vous lui avez annoncé?

— Non. Je ne lui ai pas dit. J'ai continué à espérer que je m'étais trompée, que je n'avais peut-être pas vu ce que je croyais avoir vu, alors je n'ai rien voulu dire.

— Pensez-vous que c'est pour cette raison que votre père a tué votre mère ? À cause de cette femme ? Qu'il voulait peut-être s'enfuir avec elle ?

Melissa cligna des yeux.

— Quoi ?

Wedmore répéta la question, et ajouta :

— Ça arrive, vous savez. Un homme commence à fréquenter une autre femme, sa femme le découvre, ils se querellent, et puis, eh bien, vous savez… la femme finit par y laisser la vie.

— Vous croyez que c'est ce qui s'est passé ?

— C'est une possibilité parmi d'autres. Mais vous n'êtes peut-être pas de cet avis. Savez-vous pourquoi votre père a tué votre mère ?

— Mon père ne l'a pas tuée. C'est ça que vous pensiez ?

Ce fut au tour de Wedmore de paraître surprise.

— Ce n'est pas pour ça que vous êtes ici, Melissa ?

La fille de la femme morte soupira et secoua la tête.

— Je suppose que je devrais commencer par le début.

15

Quand Keisha Ceylon vit la ceinture rose passer devant ses yeux, elle leva instinctivement le bras pour interposer ses doigts entre la ceinture et son cou. Mais elle ne fut pas assez rapide. Wendell Garfield l'enroula autour de sa gorge et commença à serrer.

—Je ne sais pas comment vous êtes au courant, mais, je le jure, vous ne le direz à personne.

Keisha tenta d'agripper la ceinture, ses ongles lacérant sa propre chair tandis qu'elle s'efforçait de desserrer son étreinte. Mais le ruban en satin était déjà profondément enfoncé dans son cou et elle n'avait aucun espoir de glisser les doigts dessous.

Garfield était penché sur elle, la bouche près de son oreille droite. Son haleine était brûlante sur sa joue.

Elle tenta de dire quelque chose, de crier, mais sa trachée était comprimée, et rien n'en sortit. Aucun son. Elle sentait ses yeux exorbités. Elle donna des coups de pied par terre, planta ses talons dans le tapis.

Keisha Ceylon sut, à cet instant précis, qu'elle allait mourir. Pas besoin d'aptitudes mystiques pour avoir cette vision de l'avenir.

Ça ne serait certainement pas dans un avenir lointain.

Un certain nombre de pensées se bousculèrent dans son esprit pendant ces millisecondes. On ne se serait pas attendu à ce qu'elle trouve le temps de se livrer à l'introspection, mais la réalité trouve le moyen de ralentir durant de tels moments, et Keisha eut l'occasion de se dire : *Peut-être que je l'ai bien cherché.*

Quand on gagne sa vie en exploitant la crédulité des gens au moment où ils sont le plus vulnérables, ça vous retombe forcément dessus un jour ou l'autre. S'il y avait quelqu'un pour croire au karma, ne serait-ce pas Keisha ?

Terry Archer, le professeur de lettres, n'adorerait-il pas la voir à présent ? Sa fâcheuse posture ne lui fournirait-elle pas un parfait exemple la prochaine fois qu'il essaierait de faire comprendre à ses élèves le concept d'ironie ? Notamment le fait que Keisha n'avait rien vu venir. Avait foncé droit dans la gueule du loup.

Ça ne manquait pas de sel, elle devait l'admettre.

Et pourtant, à cet instant, ce n'était pas de l'amertume qu'elle éprouvait, mais des regrets. « Désolée », c'était peut-être ce qu'elle aurait dit si elle avait été en mesure de parler, de prendre une goulée d'air.

Plus d'une personne méritait ses excuses. Mais le premier visage à flotter devant ses yeux fut celui de Matthew.

« Désolée, mon cœur, s'entendit-elle dire. Désolée, maman a merdé. »

Toutes ces pensées traversèrent ses synapses en une fraction de seconde. Elle aurait même aimé passer plus de temps à réfléchir à l'incidence de ses mauvaises actions sur elle et sur les autres, se livrer à un petit examen de conscience, mais une partie de son cerveau se penchait sur des questions plus urgentes.

Même si ça a l'air plutôt mal parti, là, tout de suite, je dois essayer de m'en sortir.

C'était à cette fin qu'elle continuait à se griffer la gorge, pour essayer, en vain, de passer ses doigts sous la ceinture du peignoir.

— Vous étiez forcément là, siffla Garfield entre ses dents. Vous deviez regarder. Je ne vois pas d'autre explication. Vous étiez là-bas, vous m'avez vu pousser la voiture sur la glace, vous l'avez vue couler, et ensuite vous vous êtes dit que vous pourriez me faire chanter. Mille dollars aujourd'hui, mille autres la semaine d'après, et la semaine suivante, jusqu'à ce qu'il ne me reste plus rien.

Il avait enroulé les extrémités de la ceinture autour de ses paumes et continuait à tirer. Keisha sentit qu'elle commençait à perdre connaissance. Ses doigts renoncèrent. Ses mains tombèrent de son cou et atterrirent sur le coussin du fauteuil. Elle se demanda, fugitivement, ce qu'il ferait de son corps. Elle espérait qu'il ne la mettrait pas dans le lac avec Mme Garfield.

Elle n'aimait pas l'eau. Quand elle avait dix ans, sa mère avait brièvement fréquenté un homme qui possédait une maison à Cape Cod, et Keisha n'avait même pas trempé un orteil dans l'Atlantique. Elle avait peur des requins depuis qu'elle avait vu ce fameux film. Hors de question de prendre un tel risque. Heureusement, ils n'étaient jamais revenus parce que l'homme avait décidé de retourner auprès de sa femme.

Quelques secondes avant de comprendre qu'elle allait s'évanouir, ses doigts s'enfoncèrent dans le siège de son fauteuil.

Sa main droite effleura quelque chose.

Quelque chose de doux, presque duveteux.

Du fil à tricoter.

Et alors que ses doigts tâtaient fébrilement la pelote, ils rencontrèrent autre chose. Un objet long, étroit, et pointu. Comme une brochette, ou une aiguille.

Une aiguille à tricoter.

Dans la dernière seconde dont elle disposait avant de perdre connaissance, elle empoigna l'aiguille de la main droite et leva brusquement la main par-dessus son épaule. Avec toute la force dont elle était encore capable.

Le cri retentit à quelques centimètres de son oreille. Et il était atroce.

Comme l'étau autour de son cou se relâchait, elle tomba de son fauteuil et s'effondra par terre, haletante. Elle était à genoux, une main sur le sol pour ne pas s'écrouler, l'autre sur son cou. L'air s'engouffrait dans ses poumons si violemment que c'en était douloureux. Ses halètements auraient été assez bruyants pour être entendus n'importe où dans la maison n'eussent été les hurlements déchirants de Wendell Garfield.

Keisha, alors même qu'elle reprenait péniblement son souffle, dut se tourner pour voir ce qu'elle avait fait.

143

Elle avait planté l'aiguille à tricoter dans l'œil droit de Garfield. Du sang coulait à flots de l'orbite, couvrant la moitié droite de son visage. À en juger par la longueur d'aiguille qui restait exposée, Keisha en déduisit qu'une bonne dizaine de centimètres étaient fichés dans sa tête.

Il pouvait cependant la voir avec son œil gauche, et, sans cesser de hurler, il se mit à faire le tour du fauteuil pour s'en prendre à elle.

Keisha se leva à grand-peine et prit la direction de la porte. Mais elle se cogna le genou au coin de la table basse et trébucha, permettant à Garfield de se rapprocher suffisamment pour refermer sa main sur son bras.

— Espèce de salope ! siffla-t-il, malgré le sang qui gargouillait dans sa gorge.

Il tira si fort sur son bras qu'elle se retrouva par terre. Elle se reçut sur le dos, et avant qu'elle ait pu s'esquiver en roulant sur elle-même, il était à califourchon sur son ventre.

Il n'avait plus la ceinture. Il allait l'achever à mains nues. Il se pencha en avant, l'aiguille à tricoter dépassant toujours de son orbite, le sang dégouttant… non, ruisselant sur Keisha, et il serra ses doigts autour de son cou. Elle se débattit furieusement, mais il lui plaquait le cou au sol.

Elle recommença à perdre connaissance. Avec ses dernières forces, elle leva la main et frappa l'extrémité de l'aiguille à tricoter avec sa paume.

La pointe en plastique s'enfonça de sept centimètres supplémentaires dans le crâne de Garfield.

Il y eut un autre cri, et puis, l'espace d'un instant, il resta figé au-dessus d'elle. L'étau se relâcha autour de son cou, ses bras devinrent mous, et il s'écroula sur elle.

Keisha ne prit même pas le temps de reprendre son souffle cette fois. Elle repoussa frénétiquement le cadavre, se traîna un peu plus loin, puis, quand elle put à nouveau respirer normalement, elle estima qu'elle avait mérité de prendre un moment pour faire une crise de nerfs.

16

— Vous êtes sûre de ne pas vouloir d'avocat ? demanda Rona Wedmore.

— Certaine. Je vais plaider coupable pour tout, répondit Melissa Garfield.

— Alors vous devez signer ici. Et ici.

Melissa griffonna sa signature.

— Très bien, pourquoi ne pas commencer par le commencement ?

— Ce jour-là, dit Melissa, maman a décidé de passer me voir. Elle faisait ça de temps en temps, elle passait sans appeler ni rien. Elle disait : « Quoi, une mère ne peut pas passer voir sa fille ? » Elle arrive, et moi, je suis dans la cuisine, en train de découper du céleri et des bâtonnets de carotte pour mettre dans une salade parce que j'essaie vraiment de manger des choses saines pour que le bébé soit en bonne santé, vous comprenez, même si je préférerais me nourrir de pizzas et de burgers, mais j'essaie, d'accord ? J'essaie vraiment.

— Bien sûr.

— C'est comme si elle me surveillait tout le temps. Elle me posait toujours les mêmes questions : qu'est-ce qui se passait avec Lester, est-ce que j'allais me marier avec lui et le laisser s'occuper de nous ou est-ce que j'allais retourner vivre avec papa et elle, comme si j'avais pu avoir envie d'un truc pareil ? Et puis elle voulait savoir si j'avais eu d'autres renseignements sur l'école vétérinaire où je pensais aller un jour parce que j'aime les animaux, surtout les chiens et les chats.

— Moi aussi, j'aime les chiens et les chats, renchérit Wedmore.

— Ouais. Et donc elle m'interrogeait là-dessus et je lui réponds, pas encore, mais que j'y pensais, et elle me dit, qu'est-ce que t'attends ? Regarde si tu peux pas t'inscrire maintenant, même si ça rime à rien parce que je dois finir mon lycée et tout, vous comprenez, et tout ça, elle le sait, d'accord ? Mais elle, elle dit que si je m'inscris de bonne heure, ça leur montrera que je suis vraiment motivée, alors je lui dis, nom de Dieu, tu vas me laisser un peu respirer ? Je vais avoir un bébé dans quelques semaines et j'ai beaucoup de soucis, alors d'accord, peut-être que je devrais penser à mon avenir, mais est-ce que je dois m'en occuper, là, dans la seconde ? Et elle me fait, ça te prendra deux minutes, pourquoi tu ne le fais pas, je te couperai ton céleri et tes carottes, et elle ajoute que je ne les coupe pas assez petit de toute façon, et elle essaie de me prendre le couteau des mains et je ne sais pas ce qui s'est passé, mais j'ai disjoncté, vous comprenez ?

— Bien sûr, approuva Rona Wedmore avec un hochement de tête compatissant.

— Donc, je sais pas exactement comment ça s'est passé, mais le couteau, il s'est retrouvé en elle et, ensuite, je suppose que j'ai dû le planter une deuxième fois, et puis elle me regarde avec l'air de

147

dire, qu'est-ce que t'a fait ? Et puis elle tombe par terre et elle ne bouge plus ni rien.

— Qu'avez-vous fait ensuite ? Avez-vous pensé à appeler une ambulance ?

— Je suppose que je suis devenue complètement folle pendant un moment, mais j'ai réussi à appeler mon père.

— D'accord.

— J'ai dit, quelque chose est arrivé à maman, il faut que tu viennes, et il a demandé, c'est une crise cardiaque ou quoi, et j'ai répondu non, et il a dit que je devrais appeler le numéro d'urgence et alors j'ai avoué que je l'avais plus ou moins poignardée, et qu'elle ne respirait plus et ne bougeait plus ni rien, et, lui, il en revenait pas, et il a indiqué que je ne devais rien faire, qu'il arrivait tout de suite.

— Pour vous aider ?

Melissa hocha la tête.

— Donc, il est arrivé très vite, et il était super-flippé, et il a jeté un œil à maman et il a bien vu qu'elle était morte, et il a dit qu'il devait réfléchir. Je lui ai demandé si j'allais aller en prison. Est-ce que j'allais avoir mon bébé en prison, et il n'arrêtait pas de me dire de la fermer, qu'il réfléchissait, et ensuite il a eu cette idée. Il a sorti maman de la maison par l'arrière et l'a mise dans sa voiture, et puis il m'a ordonné de le suivre dans sa voiture à lui. Alors je l'ai suivi jusqu'à ce lac, et il a mis la voiture sur la glace et elle a coulé, et je crois que je vous ai déjà raconté cette partie.

— Et ensuite qu'est-ce qui s'est passé ?

— Papa est retourné chez moi et il a tout nettoyé. Il y avait du sang partout. C'était horrible. Il a fallu des heures pour tout nettoyer. Heureusement que ma coloc était partie, sinon elle aurait tout vu et ç'aurait été la tuile. Je ne pouvais pas aider mon père à nettoyer. Ma tête avait vraiment explosé à ce moment-là, et j'étais super-fatiguée. Avec tout ce qui était arrivé, et puis d'avoir dû conduire jusqu'au lac. Je suis restée dans mon lit, sous les couvertures. Quand il a fini, il m'a assuré que tout irait bien. Que je n'irais pas en prison. Il a affirmé qu'il m'aimait beaucoup et qu'il voulait que tout aille bien pour moi. Il a dit que j'avais fait quelque chose de mal mais que, parfois, les gens faisaient des erreurs et qu'il ne voulait pas que toute ma vie soit gâchée. C'est vraiment un bon papa. Il a dit que la police penserait juste que maman s'était enfuie, ou peut-être qu'elle s'était fait tuer par ce type qui vole des voitures, mais qu'ils ne sauraient jamais vraiment ce qui s'est passé parce qu'ils ne pourraient jamais retrouver maman ni sa voiture. Et si la police ne savait pas ce qui s'était passé, elle ne pourrait jamais accuser qui que ce soit.

Elle secoua la tête.

— Il va être tellement furieux après moi. Parce qu'il a fait tout ça pour me protéger, et maintenant… eh bien, me voilà. Mais je… je ne peux pas me taire. Je m'en veux de ce que j'ai fait. J'aimais vraiment ma mère.

Wedmore tendit le bras pour lui toucher la main.

— Bien sûr que vous l'aimiez.

— Est-ce que mon père va avoir beaucoup d'ennuis ?

— Eh bien, je ne vais pas dire qu'il n'en aura pas. Mais avec un bon avocat, et des jurés compatissants…

Beaucoup d'entre eux comprendront jusqu'où peut aller un père, pour aider sa fille. Il devra peut-être aller en prison, mais sans doute pas pour longtemps.

— Pas aussi longtemps que moi.

Wedmore sourit.

— Vous n'avez peut-être pas tort.

Melissa parvint même à sourire à son tour.

— Vous êtes très gentille. Je suis contente d'être tombée sur vous.

— Moi aussi, dit l'inspecteur.

— J'espère simplement que vous avez raison, qu'ils n'enverront pas papa en prison pour longtemps. Ça ne serait pas juste. Il n'est pas si vieux. Il lui reste plein de temps à vivre.

17

Keisha ne comptait pas appeler la police.

Peu importe qu'elle ait fait ça pour se défendre. Il ne s'agissait pas d'un meurtre prémédité. Wendell Garfield avait tenté de la tuer, et si elle n'avait pas enfoncé cette aiguille à tricoter dans son cerveau, il y serait parvenu.

Elle savait que si elle allait à la police, elle pourrait peut-être même se donner le beau rôle. Elle commencerait par leur dire que Garfield avait assassiné sa femme. Qu'il avait mis son corps dans une voiture, l'avait laissée sur un lac gelé et attendu qu'elle passe à travers la glace. Après quoi il avait tenté de la tuer, elle, quand elle avait compris ce qu'il avait fait.

Enfin, plus ou moins compris. Elle serait la première à admettre qu'elle avait été un peu chanceuse avec cette histoire de vision, encore que chanceuse ne semblait pas être exactement le mot approprié en l'occurrence.

Et même si elle ne s'était pas encore regardée dans une glace, elle savait en touchant son cou qu'il y avait des marques très profondes à l'endroit où Garfield avait serré cette ceinture. Si son histoire ne convainquait pas tout à fait la police, les marques sur sa gorge le feraient certainement.

Alors oui, si elle allait voir les flics, ils croiraient peut-être son histoire.

Mais pourquoi prendre ce risque ?

Si elle se manifestait, il faudrait qu'elle explique ce qu'elle faisait là. Elle craignait que son histoire de vision ne soit pas du goût de la police. Ils voudraient aussi savoir pourquoi elle n'était pas allée directement les voir si elle détenait des informations concernant une personne disparue, quelle que soit la manière dont elle se les était procurées. Eh bien, leur dirait-elle, étant donné que la police ne faisait en général pas grand cas des informations fournies par les voyantes, elle préférait approcher les familles directement. « Et qu'auriez-vous pu attendre de M. Garfield en échange de ces informations ? » demanderaient-ils ensuite. Inutile de leur répondre qu'elle ne voulait aucune contrepartie. Ils connaissaient son numéro. Elle s'était signalée à leur attention pendant l'affaire Archer, et deux de ses clients, mécontents de leur horoscope, étaient allés à la police voir s'il y avait matière à déposer plainte pour escroquerie.

Non, pas question d'appeler les flics. Tant qu'elle le pouvait, autant ne pas mêler son nom à cette histoire.

De plus, personne ne savait qu'elle était venue chez Garfield. Il n'y avait aucun témoin. Elle n'avait dit à personne qu'elle venait là, à l'exception de Kirk, qui était en stand-by au cas où elle aurait eu besoin de lui pour le numéro de la petite Nina. La maison des Garfield se trouvait dans une rue où les résidences étaient bien espacées, et il n'y avait pas de vis-à-vis. Il y avait de fortes chances que personne ne l'ait vue descendre de voiture et entrer dans la maison. Si elle arrivait à remonter dans sa voiture sans se faire voir, elle serait définitivement à l'abri des ennuis.

Puis elle pensa aux empreintes.

Elle se demanda ce qu'elle avait touché à part le peignoir. Les flics ne pourraient rien relever sur le tissu du fauteuil.

Elle essuya la table basse, et toutes les autres surfaces qu'elle pensait pouvoir avoir touchées. Il y avait plein de sang un peu partout, mais comme ce n'était pas le sien, elle se dit qu'elle n'avait rien à craindre côté ADN. Une fois rentrée chez elle, elle changerait ces vêtements ensanglantés et s'en débarrasserait.

Elle croyait pouvoir s'en tirer. Elle pouvait le faire. Elle serait obligée de porter un foulard autour du cou ou des cols montants pendant quelques semaines pour cacher les ecchymoses, mais à part ça, elle avait l'air indemne.

J'en ai fini avec ces conneries.

Tout ça, c'était un message, à n'en pas douter. Keisha n'avait jamais été particulièrement religieuse, mais cela avait toutes les caractéristiques d'un avertissement du grand Manitou. « Arrête ça », lui disait-il.

Elle allait arrêter.

— Seigneur, laissez-moi me sortir de là et je suis à vous, pria-t-elle.

Elle jeta un dernier coup d'œil à la pièce, au corps de Garfield, pour être sûre de ne rien avoir oublié. Ça irait.

Keisha sortit furtivement de la maison, essuya la poignée de la porte au passage. Elle était à mi-chemin de sa voiture quand, obéissant à une sorte d'instinct, elle leva le bras et toucha son oreille droite puis son oreille gauche : la boucle d'oreille en forme de perroquet pendait à cette dernière, mais l'autre avait disparu.

— Oh, mon Dieu, dit-elle tout bas.

Elle ne voyait pas d'autre solution que de retourner dans cette maison pour la récupérer.

Elle se pointa à la porte, resta là un moment, s'armant de courage, puis, enveloppant sa main avec son manteau, tourna la poignée et entra. Elle commença par le fauteuil sur lequel elle s'était assise. Elle tapota le siège, enfonça ses doigts dans les plis du coussin.

En vain.

Elle regarda sur la table basse, scruta les tapis. La boucle d'oreille était introuvable.

Il ne restait plus qu'un seul endroit où regarder.

Keisha s'agenouilla à côté du corps, glissa ses mains en dessous, et le retourna, révélant un tapis imbibé du sang qui avait coulé de l'orbite de Garfield.

Elle repéra une petite bosse dans la flaque de sang. Elle y plongea les doigts et retira le bijou. Le perroquet ressemblait à une mouette engluée dans une marée rouge. Elle enveloppa la boucle d'oreille humide dans des mouchoirs en papier trouvés dans son sac et l'y laissa tomber.

Elle ressortit par la porte d'entrée.

Monta dans sa voiture.

Sortit les clés de son sac.

Mit le contact.

Alors qu'elle s'éloignait de la maison de Garfield, une voiture de police apparaissait à l'angle de la rue.

Non, non, non, non.

Comme le véhicule approchait, Keisha se demanda si l'on pouvait voir les taches de sang qui maculaient le devant de ses vêtements. Les flics allaient-ils les remarquer quand ils passeraient à sa hauteur ? Pour une fois, elle était heureuse que sa voiture ait des dégivreurs merdiques. Sa vision était en partie masquée par les cristaux de givre qui couvraient le pare-brise.

La distance entre les deux voitures se réduisit. Keisha distingua deux agents dans le véhicule. Une femme au volant, un homme à côté d'elle.

Regarde devant toi, se dit-elle. *Comme si tu n'en avais rien à faire. Sois cool.*

Les voitures se croisèrent.

Keisha était certaine qu'aucun des deux flics n'avait regardé dans sa direction quand la voiture l'avait dépassée. Elle continua à regarder droit devant. Quelques secondes plus tard, elle jeta un coup d'œil dans le rétroviseur, s'attendant à voir les feux stop de la voiture de patrouille s'allumer et la voiture faire demi-tour pour se lancer à sa poursuite.

Mais rien ne se passa. La voiture de police continua dans la rue, dépassant même la maison des Garfield.

Keisha mit son clignotant, tourna à gauche au carrefour.

Tirée d'affaire.

18

Rona Wedmore indiqua au central qu'il lui fallait deux agents en tenue pour l'accompagner chez les Garfield. Une de leurs voitures, l'informa-t-on, venait de passer à proximité. Ils retourneraient à cette adresse et attendraient son arrivée.

Il était possible que Wendell Garfield fasse ce qu'elle lui demanderait, et l'accompagne au poste sans broncher, mais comme on n'était jamais trop prudent, il était préférable de pouvoir compter sur des renforts. Même s'il ne serait pas inculpé de meurtre, Garfield était néanmoins dans un sacré pétrin. Il avait couvert sa fille, il avait déplacé le corps de sa femme et s'en était débarrassé... et il avait trompé les enquêteurs. Wedmore était même à peu près certaine que le fait de balancer une voiture dans un lac constituait un délit en matière de pollution environnementale, même si cela passerait pour le cadet des soucis de Wendell.

Wedmore reconnut les deux agents qui l'attendaient. Lisa Gibson et Brett McBean. Lisa avait environ dix ans de boutique, et McBean peut-être deux fois moins. Bons flics tous les deux, pour autant qu'elle le sache, même si le bruit courait qu'il y avait quelque chose entre eux deux depuis qu'on les avait mis en binôme six mois auparavant. Ce qui n'était pas une bonne chose.

Lisa, qui était au volant, descendit de voiture, et McBean en fit autant quand Wedmore stoppa son véhicule. Lisa faisait dans les un mètre soixante-dix, alors que McBean mesurait un impressionnant mètre quatre-vingt-quinze et donnait l'impression qu'il aurait été plus à l'aise dans une tenue de basketteur que dans un uniforme de policier.

— Lisa, Brett.

— On a trouvé sa femme, inspecteur ? demanda Lisa.

— Nous avons une idée de l'endroit où il faut chercher. La fille vient d'avouer le meurtre de Mme Garfield, et M. Garfield l'a aidée à maquiller son crime. Je viens pour l'embarquer. Vous n'avez rien remarqué depuis que vous êtes là ?

Ils secouèrent tous les deux la tête.

— Il n'est pas sorti, dit Brett. L'agente Gibson vient de me dire qu'elle n'a même pas vu un rideau bouger depuis que nous sommes arrivés.

L'*agente* Gibson. Il n'en fallait pas plus pour la convaincre que ces deux-là étaient ensemble.

— On va la jouer visite de routine, indiqua Wedmore. Garfield ne sait pas que sa fille est venue au poste et qu'elle a fait des aveux. En ce qui le concerne, on est là pour lui présenter les derniers développements de l'enquête.

Les deux flics opinèrent et suivirent l'inspecteur Wedmore jusqu'à la porte. Elle sonna tandis que Gibson et McBean se tenaient réglementairement derrière elle.

Pas de réponse.

Wedmore sonna une deuxième fois, en jetant un coup d'œil par-dessus son épaule pour s'assurer que la Buick de Garfield était bien là.

— Il est peut-être sous la douche, suggéra Gibson comme on ne répondait toujours pas.

— Qu'est-ce que c'est que ça ? dit McBean.

Il avait les yeux rivés par terre, et Gibson et Wedmore suivirent son regard. Il y avait plusieurs gouttes d'une substance sombre sur les dalles.

— On dirait du sang, déclara McBean.

En s'agenouillant, Wedmore sortit un gant en latex de sa poche, elle l'enfila avec un claquement sec sur sa main droite, et toucha l'une des gouttes du bout de l'index. Après un très bref examen, elle leva les yeux et dit à McBean :

— Passez par l'arrière. Lisa, vous restez avec moi.

McBean lança un regard à sa coéquipière et contourna la maison.

Wedmore se releva, tira un mouchoir en papier de sa poche et s'essuya le bout du doigt, en gardant le gant. Elle roula le mouchoir en boule et le remit dans sa poche, puis écarta les pans de son blouson pour dégager le holster attaché à sa ceinture. Elle sortit son arme, la tint pointée vers le bas le long de son corps, et sonna une troisième fois.

Elle attendit dix secondes avant de tourner doucement la poignée.

Elle n'était pas fermée à clé.

Elle l'ouvrit en grand et appela :

— Monsieur Garfield ! Monsieur Garfield, vous êtes là ? Je suis l'inspecteur Wedmore !

Elle n'eut qu'un pas à faire dans l'entrée pour deviner ce qui l'attendait dans le salon.

—Nom de nom, souffla-t-elle.

Les yeux rivés sur le corps de Wendell Garfield, la flaque de sang autour de sa tête, l'espèce de longue baguette bleue plantée dans son orbite.

—Oh, mon Dieu, souffla l'agente Gibson, qui avait suivi l'inspecteur.

Wedmore avait levé la main pour qu'elle s'immobilise.

—Demandez à McBean comment ça se passe derrière.

Gibson toucha la radio clipsée à son épaule.

—Tu as quelque chose de ton côté ?

Un grésillement parasite.

—*RAS*.

—Dites-lui de nous rejoindre, commanda Wedmore.

Gibson transmit l'ordre de Wedmore à McBean. Quelques secondes plus tard, il était dans l'entrée.

—Oh, putain !

—Sécurisez la maison, leur dit Wedmore.

Les deux agents fouillèrent les lieux pièce par pièce, placard après placard, et retournèrent dans l'entrée pour trouver Wedmore penchée au-dessus du corps, mais les pieds suffisamment en retrait pour que ses chaussures ne touchent pas le sang.

—Il n'y a personne, rapporta l'agente Gibson. À part lui.

—C'est quoi ce qu'il a dans l'œil ? demanda McBean.

—On dirait une aiguille à tricoter, répondit Wedmore, pour qui le tricot n'avait jamais été un passe-temps, mais auquel sa mère défunte consacrait des heures entières.

Elle aperçut alors une pelote de laine par terre.

—Qu'est-ce que je disais. Appelez le central, ordonna-t-elle à Gibson. Je veux tout le monde sur le pont. Cette scène de crime est toute fraîche.

Gibson sortit passer les coups de fil.

Wedmore fit lentement le tour de la pièce, examinant tout ce qu'elle voyait minutieusement, à l'affût du moindre indice. Elle entra dans la cuisine et vit la théière, encore tiède, et le mug qui attendait d'être rempli.

—Ç'avait l'air plutôt simple il y a encore cinq minutes, dit Wedmore pour elle-même.

L'affaire Ellie Garfield avait en effet toutes les apparences d'une affaire de famille. La fille tue la mère, le père couvre la fille. Tout le monde – la victime, l'auteure, le complice – était parent. Un drame familial du début à la fin.

Mais là, ça n'était plus la même chanson. La mort de Garfield élargissait le cercle. Melissa n'avait rien à voir avec ça, parce qu'elle avait passé ces deux dernières heures en garde à vue. Wedmore n'avait pas besoin d'un légiste pour lui dire que ce meurtre avait été commis il y a moins de deux heures. Et Garfield, ou du moins quelqu'un prétendant être Garfield, avait téléphoné au poste il y a un peu plus d'une heure pour demander où en étaient les recherches concernant sa femme.

C'était bien vu, songea Wedmore. *Un moyen habile de détourner les soupçons. Même si cette ruse ne lui servirait plus à grand-chose à présent.*

Elle revint dans le salon, se tint à nouveau au-dessus du cadavre. Un peignoir de femme était jeté sur le canapé, mais la ceinture assortie se trouvait sur le tapis, juste derrière la flaque de sang.

Intéressant.

Puis, en examinant de nouveau le corps, en regardant le sang qui avait imbibé la chemise, quelque chose attira son attention.

—Qu'est-ce que c'est? prononça-t-elle à voix basse.

19

Kirk Nicholson était assis sur le canapé, les pieds sur la table basse, en train de petit-déjeuner. Ou de déjeuner de bonne heure. De bruncher peut-être. Quoi qu'il en soit, son repas se composait d'une bouteille de Budweiser et d'une génoise Twinkie fourrée à la crème. Il regardait *Une famille en or* à la télévision, un jeu où une famille de consanguins, de son propre avis, essayait de deviner comment cent personnes avaient répondu à la question suivante : « Quelle partie de votre corps oubliez-vous parfois de laver quand vous prenez un bain ? »

— L'arrière des oreilles ! cria Kirk.

Il était assez fort à *Une famille en or*. C'était son jeu télévisé préféré parce que, contrairement à, disons, *Jeopardy !* ou *Qui veut gagner des millions ?*, vous n'aviez pas besoin de savoir quoi que ce soit, il fallait juste être capable de deviner ce que les gens répondraient. Et, à ce compte-là, Kirk trouvait souvent la bonne réponse, qu'il braillait avec satisfaction.

Il avait besoin de booster son ego ces temps-ci.

Souvent, son regard se baladait de la télévision à l'étagère qu'il avait installée sur le mur d'à côté pour exposer les jantes en alliage qu'il allait monter sur son pick-up quand la neige fondrait. Des jantes

Mamba de 20 pouces, le modèle M3, à huit rayons avec une finition noir mat. Normalement, un jeu de quatre allait chercher dans les deux mille billets, mais il s'était débrouillé pour les toucher avec trois cents dollars de remise.

Bien que ces jantes soient en elles-mêmes un régal pour les yeux, elles allaient déchirer une fois montées. Finalement, c'était une bénédiction que Keisha n'ait pas de garage dans sa maison de nain. Si elle en avait eu un, il n'aurait pas pu les admirer tous les jours, et il n'avait pas à s'inquiéter que quelqu'un puisse entrer par effraction dans le garage et les voler. Ce pourquoi il devait s'inquiéter en revanche, c'était que le p'tit con, comme il surnommait à présent Matthew, s'en approche et les tripote avec ses petits doigts graisseux, voire que le petit bâtard les fasse tomber et qu'elles lui cassent le pied.

Ce qui lui fit penser à son propre pied, qui allait beaucoup mieux, merci. Même s'il continuait à boiter en présence de Keisha. Il tenait à entretenir sa compassion le plus longtemps possible.

Pour en revenir à ce petit bâtard, Keisha n'était pas mariée quand elle avait eu son rejeton, et le père était parti depuis belle lurette, alors il se sentait tout à fait en droit de traiter le gamin de bâtard, mais il se trouvait qu'il préférait p'tit con. Kirk espérait que le gamin se tiendrait mieux désormais, qu'il ne toucherait ni à ses jantes ni à quoi que ce soit d'autre lui appartenant, après la récente conversation qu'il avait eue avec lui. Aucun garçon de dix ans n'avait envie d'être envoyé dans une académie militaire pour préadolescents, et Kirk avait raconté au gamin que c'était justement ce que sa mère envisageait s'il ne se tenait pas à carreau et ne le laissait pas tranquille.

«Mais c'était leur petit secret», avait prétendu Kirk. «Ta mère ne sait pas que je t'ai dit à quoi elle pensait. Tiens-toi tranquille, mets-la en veilleuse, et reste à l'écart des adultes, et alors peut-être qu'elle oubliera tout ça.»

Et ça marchait. Le gosse avait eu une conduite exemplaire dernièrement.

— Entre les doigts de pied! cria-t-il au poste de télévision, suggérant une autre réponse.

Il but une lampée de bière au goulot et prit une autre bouchée de gâteau. Il aurait pu rester au lit, finalement. Keisha ne l'avait pas appelé pour qu'il parle de la «petite Nina», ce qui, devinait-il, signi-fiait que sa dernière cible avait gobé son histoire. Il se demanda avec combien d'argent elle rentrerait à la maison. Ils avaient besoin de se ravitailler. Il avait exploré le frigo sans rien trouver qui lui fasse envie. Il allait vraiment falloir qu'il ait une petite conversation avec elle.

Il bâilla, regarda fixement ses jantes comme un ours pataud. *Une famille en or* n'arrivait pas à l'inté-resser. Parfois il avait un peu de mal à suivre. Il allait tendre le bras pour prendre la télécommande quand Keisha entra brusquement dans le salon.

Couverte de sang.

Il jeta la télécommande sur la table basse et s'assit.

— Qu'est-ce que…?

Il y avait du sang sur son visage, sa gorge, partout sur son chemisier. Il y avait du sang sur ses mains, ses bras et aussi un peu sur son pantalon.

— Aide-moi ! lui cria-t-elle, laissant tomber son sac par terre, et se tenant là comme quelqu'un qu'on a jeté dans une piscine tout habillé, les bras écartés, ses clés de voiture se balançant au bout des doigts de sa main droite.

Il se précipita, mais s'arrêta à quelques dizaines de centimètres d'elle, craignant de la toucher tellement elle faisait peur à voir. Kirk avait horreur de saloper ses vêtements.

— Qu'est-ce qui s'est passé ? Tu as eu un accident ? D'où tu saignes ?

— Je ne suis pas blessée… enfin, si, mais le sang, le sang n'est pas le mien.

— Bon Dieu, c'est le sang de qui alors…

— Tais-toi ! Tais-toi et écoute-moi !

— Je demande juste ce que…

— Tais-toi ! cria-t-elle, bien plus fort cette fois.

Il n'avait pas l'habitude de la laisser lui parler sur ce ton, mais les circonstances semblaient exiger qu'il fasse ce qu'elle disait, du moins pour le moment. Alors il la ferma.

— Va me chercher un sac-poubelle, lui dit-elle. Après tu iras chercher des journaux.

Il restait planté là, abasourdi.

— Un sac ! Va me chercher un putain de sac !

Kirk courut dans la cuisine et en revint avec un sac-poubelle vert muni d'un lien en plastique rouge. Keisha laissa tomber ses clés et commença à déboutonner son chemisier. Elle l'ouvrit, fit glisser les manches trempées de sang le long de ses bras et jeta son haut dans le sac que Kirk tenait ouvert. Du sang avait traversé son chemisier et taché son soutien-gorge blanc. Elle le dégrafa et mit le sous-vêtement dans le sac, remarquant que même dans cette situation horrible à laquelle il ne comprenait rien, Kirk avait pris le temps de reluquer ses seins.

Elle retira ses chaussures, ouvrit la fermeture de son pantalon, l'enleva, avec sa culotte. Elle jeta le tout dans le sac.

Entièrement nue, elle dit :

— Passe-moi le sac. Va chercher les journaux.

Kirk n'était pas un lecteur de journaux, mais Keisha était toujours abonnée au *Register* pour y débusquer d'éventuels clients.

Il y en avait toute une pile sous la table basse et Kirk en utilisa une demi-douzaine pour tracer un chemin entre la moquette du salon et la salle de bains.

— Bébé, tu dois me dire ce qui s'est passé, exigea-t-il alors qu'elle s'avançait dans le couloir d'un pas hésitant.

— Je suis allée voir ce type, dont la femme a disparu la semaine dernière, expliqua-t-elle. Celui pour lequel je t'avais mis en stand-by.

Kirk opina.

— Ouais. Celui qui est passé à la télé avec sa fille.

— C'est ça. C'est ce salaud qui a fait le coup. Il a tué sa femme. Il pensait que je l'avais compris et a essayé de me tuer.

Elle était dans la salle de bains à présent et se regardait dans le miroir.

— Tu vois les marques sur mon cou, là ?

Elle passa ses mains sous le robinet, essaya de nettoyer le sang sur sa gorge.

— Putain de merde ! Il a essayé de t'étrangler ?

166

— Ouais. Juste au moment où il allait m'achever, j'ai trouvé une aiguille à tricoter, j'ai donné un grand coup en arrière et je l'ai eu dans l'œil.

Kirk fit la grimace.

— Putain, dans l'œil ?

— Du coup, il m'a lâchée, poursuivit Keisha, en tendant le bras à l'intérieur de la douche pour ouvrir les robinets d'eau chaude et d'eau froide.

— Attends, qu'est-ce que tu dis, là ? demanda Kirk. Tu l'as laissé avec une aiguille plantée dans la tête ? Il est allé à l'hôpital ?

— Il est mort, Kirk.

— Quoi ?

— Il est mort. Ce que tu vas faire maintenant, c'est te débarrasser de mes vêtements. Au début je pensais les brûler dehors, mais les flics sont capables de trouver du sang sur des vêtements brûlés, j'en suis sûre, je l'ai vu à la télé. Alors tu vas prendre ce sac et tu vas aller en voiture quelque part, loin d'ici, à Darien ou Stamford, et tu vas balancer le sac dans une benne à ordures pleine à ras bord, quelque part où personne ne le trouvera jamais, compris ?

— Tu as *tué* ce type ?

— Tu m'écoutes ?

Elle passa la main sous l'eau pour tester la température. Elle tourna le robinet d'eau chaude. Elle allait faire disparaître le sang qu'elle avait sur elle.

— Ouais, vas-y, je t'écoute.

— Une fois que tu te seras débarrassé du sac, il faudra que tu nettoies l'intérieur de la voiture. Les poignées de portière, les sièges. C'est du vinyle, alors ça ne devrait pas être trop difficile.

Stupéfait, Kirk secouait la tête, serrant toujours le sac dans sa main.

— Kirk, tu es là ?

— Ouais, ouais, je suis là.

— Tu as compris ce que tu dois faire ?

— Me débarrasser de tes vêtements, laver la voiture.

— Pas seulement la laver. Tu dois la nettoyer de fond en comble. Comme si tu t'apprêtais à la vendre. Comme si tu briquais ton pick-up.

— Ouais, d'accord.

— Merde, et mon sac à main, aussi. Va chercher mon sac.

Keisha entendit ses pas sur le papier journal. Elle le rappela :

— Si tu marches sur les journaux, tu vas mettre du sang sur tes chaussures !

— Ah, ouais.

Un bref silence.

— Elles ont l'air OK !

Il revint avec le sac à main, barbouillé du sang de Wendell Garfield. Elle le lui prit des mains et dit :

— Mets tous les journaux dans le sac.

Il lui adressa un regard qui laissait entendre qu'il commençait à en avoir assez de recevoir des ordres, mais il s'exécuta.

Elle déversa le contenu de son sac à main par terre. Il était resté au pied du fauteuil dans lequel elle s'était assise chez les Garfield. Quand elle avait enfoncé cette aiguille dans l'œil de Wendell Garfield, le sang avait giclé partout, y compris sur son sac ouvert. Sur ses mouchoirs en papier, son portefeuille, son rouge à lèvres, ses chewing-gums, le petit flacon d'aspirine – il y en avait presque partout.

Elle prit son portefeuille, lequel contenait son permis de conduire, toutes sortes de cartes, de celle de la Sécurité sociale à la Visa, en passant par la carte de fidélité Subway, et le posa sur le comptoir à côté de la vasque. Elle vit les billets de Garfield glissés dans la petite poche, passa sa main tachée de sang sous le robinet et les extirpa. Quelques gouttelettes de sang. Elle examinerait les billets plus tard, voir si on pouvait en sauver quelques-uns. Il faudrait qu'elle jette le chèque, évidemment, avec le nom et la signature de Garfield dessus, mais pas maintenant. S'il mettait la main dessus, Kirk était assez bête pour essayer de l'encaisser.

Avant qu'il revienne, elle glissa rapidement l'argent dans le meuble sous la vasque, derrière une réserve de rouleaux de papier toilette.

Kirk revint.

— Tous ces trucs, dit-elle, en montrant du doigt les objets par terre, y compris les mouchoirs, le rouge à lèvres et les chewing-gums, il faut les jeter.

Kirk ramassa les objets sur le carrelage, les fourra dans le sac.

— Je crois que c'est tout.

— J'ai laissé tomber mes clés près de la porte. Tu vas devoir les rincer.

— Ouais, dit-il en soutenant son regard. Bon, dans quel genre de merdier es-tu en train de me mettre ? Je suis en train de couvrir un meurtre ou quoi ?

— C'était lui ou moi.

— Bon, je suppose que tout baigne, alors.

Il n'était certainement pas tenté d'appeler la police. S'ils venaient arrêter Keisha, que lui arriverait-il ? Faudrait-il qu'il s'occupe de son gamin ? Faudrait-il qu'il aille vivre ailleurs si elle perdait la maison ? Si on l'emmenait, elle ne gagnerait plus d'argent, et comment vivrait-il ? Comment paierait-il les améliorations qu'il voulait apporter à son pick-up ?

Non, il ne la balancerait pas aux flics.

— Kirk, tu peux le faire, n'est-ce pas ? demanda-t-elle. Tu peux te débarrasser de ce sac ?

Il lui sourit, mais ses yeux paraissaient éteints.

— À charge de revanche, alors ?

Cette remarque ne fut pas du goût de Keisha, mais, pour l'instant, elle n'avait pas d'autre option que Kirk. Elle avait besoin de lui pour qu'il s'acquitte de cette tâche, et elle avait besoin qu'il le fasse immédiatement.

Il sortit de la salle de bains. Elle tendit l'oreille jusqu'à ce qu'elle l'entende fermer la porte d'entrée. Alors qu'elle allait se mettre sous le jet, elle réalisa soudain tout ce qui s'était passé au cours de l'heure écoulée. Elle fit deux pas précipités jusqu'à la cuvette des toilettes, tomba à genoux, souleva fébrilement la lunette et vomit. Trois violents haut-le-cœur.

Elle dévida quelques longueurs de papier-toilette, se tamponna le visage, tira la chasse, et se laissa glisser contre le carrelage froid du mur.

J'ai failli mourir.

J'ai tué un homme.

Sa respiration était précipitée et superficielle, et elle se demanda si elle n'allait pas tourner de l'œil.

Tiens bon, se dit-elle. *Tu dois serrer les dents*. Kirk allait se débarrasser des preuves, nettoyer la voiture.

Pourvu qu'il ne merde pas. Ce n'était pas comme si elle l'avait envoyé au magasin avec une liste d'ingrédients pour confectionner du carburant à fusée. Il devrait être capable de laver une voiture et de se débarrasser d'un sac-poubelle.

Elle se releva lentement et entra dans la douche. Le contact de l'eau chaude sur sa peau était agréable. Elle versa du shampoing dans sa main, se lava les cheveux, les rinça, les shampouina à nouveau. Et une fois encore. Quand elle prit le savon pour s'attaquer à son corps, le sang était déjà parti, ce qui ne l'empêcha pas de mettre pratiquement sa peau à vif.

Elle resta sous le jet jusqu'à ce que l'eau commence à refroidir. Quand il n'y eut plus d'eau chaude, elle ferma les robinets, attrapa la serviette derrière le rideau, et se sécha.

Elle examina ensuite son corps dans la glace. Elle crut voir une minuscule tache de sang sur son épaule droite, la frotta avec la serviette, se rendit compte qu'il s'agissait d'un grain de beauté.

Elle était sûre d'avoir effacé toutes les traces que Wendell Garfield avait laissées sur elle.

Encore nue, elle ramassa la serviette et le tapis de bain et les emporta au sous-sol, fourra le tout dans le lave-linge, y versa de la lessive, et appuya sur le bouton de démarrage.

De retour à l'étage, elle alla dans sa chambre et s'habilla avec des vêtements propres. Elle trouva un chemisier à col montant, qu'elle boutonna jusqu'en haut afin de dissimuler les ecchymoses sur son cou. Après quoi, elle refit lentement le chemin entre

171

la porte d'entrée et la salle de bains, à l'affût de la moindre trace de sang. Le papier journal avait apparemment rempli son office. Elle alla chercher de l'essuie-tout et du Windex sous l'évier de la cuisine et pulvérisa le carrelage de l'entrée. Elle nettoya les carreaux à trois reprises, pour être sûre, puis elle fit passer les feuilles d'essuie-tout dans les toilettes, une par une, pour ne pas les boucher.

Elle repensa alors au moment où elle avait couru de la voiture à la maison. La distance était tellement courte qu'elle était sûre de ne pas avoir été remarquée. Si quelqu'un l'avait vue, il aurait certainement appelé la police. Mais il y avait peut-être du sang dehors.

Elle ouvrit la porte. La neige fine qui était tombée dans la nuit avait fondu dans l'allée, ainsi que sur le petit chemin qui conduisait à la maison, mais tout était tellement détrempé que même si du sang avait dégoutté de ses vêtements, elle ne pensait pas qu'on puisse en trouver la moindre trace dehors.

Elle retourna à l'intérieur, prit son portefeuille à côté de la vasque, et le frotta minutieusement avec plusieurs mouchoirs en papier humidifiés. Elle sortit son permis de conduire, sa carte de Sécurité sociale. S'assura que tout était propre.

Elle s'appuya alors contre le comptoir de la salle de bains, mit son visage dans ses mains, se sentit peu à peu gagnée par une sorte de soulagement. Elle avait terminé. À condition que Kirk fasse ce qu'elle lui avait demandé, elle était tirée d'affaire.

Il était temps de boire un verre.

Au moment où elle entrait dans la cuisine, le téléphone sonna. En général, ce n'était pas un bruit qui la faisait sursauter, mais elle manqua se cogner au plafond à la première sonnerie. Elle jeta un coup d'œil à l'écran, mais c'était un numéro inconnu.

Personne n'est au courant. Personne ne sait rien de ce qui s'est passé. Certainement pas déjà.

Elle décrocha :

— Allô ?

— Keisha ? C'est Chad et…

Le propriétaire du magasin de produits diététiques à Bridgeport qui avait besoin de son avis chaque fois qu'il rencontrait un nouvel homme.

— Chad, je n'ai pas le temps aujourd'hui.

— Mais j'ai rencontré ce type, il est venu au magasin, et je crois qu'on s'est découvert des atomes crochus. J'ai trouvé sa date de naissance mais je ne suis pas sûr qu'on soit compatibles, parce que je suis Vierge et…

— Pas aujourd'hui, répéta Keisha avant de raccrocher.

Elle ouvrit le frigo. Elle avait besoin de boire quelque chose de fort mais il n'y avait rien d'autre que les bouteilles de Budweiser de Kirk. Il faudrait faire avec. Elle se laissa tomber sur une chaise, décapsula une bouteille, et prit une longue gorgée.

Jamais plus, se jura-t-elle. *Jamais plus*.

Le problème était que Keisha ne savait pas quelle autre activité pratiquer. La vente ? Travailler dans un grand magasin ? Accueillir les gens à l'entrée de Walmart ? Il ne fallait pas être centenaire pour faire ça ? Oui, elle avait fait des ménages de temps en temps, mais même ce boulot n'avait jamais été parfaitement honnête pour Keisha Ceylon. Elle avait du mal à ne pas jeter un coup d'œil au fond des tiroirs des commodes, au cas où il y aurait quelque chose ayant un peu de valeur planqué là, un objet que son propriétaire aurait rangé là depuis si long-temps qu'il ne pourrait jamais savoir quand il avait disparu.

Dans des moments de ce genre, elle avait envie de mettre ça sur le dos de sa mère, mais elle savait, en son for intérieur, qu'elle était adulte à présent et responsable de ses choix. Les bons, comme de garder Matthew et de faire ce qui était le mieux pour lui, alors que son père s'en foutait complètement. Et les mauvais, comme de s'être laissé charmer par Kirk, et de devoir maintenant en supporter les consé-quences. Mais, bon Dieu, sa mère n'était vraiment pas un cadeau, et Keisha se sentait en droit de lui imputer une partie de ses torts.

Leur façon de vivre. Leurs déménagements perpétuels d'une ville à l'autre, Marjorie épluchant la rubrique nécrologique des journaux locaux pour trouver des hommes qui avaient perdu leur femme depuis peu, et allant comme par hasard sonner à leur porte pour offrir ses services de gouvernante, mais pas avant d'avoir mis du rouge à lèvres, laissé ses cheveux cascader sur ses épaules et déboutonné le haut de son corsage. « Votre femme vient de mourir ? disait-elle avec une pointe d'accent de l'Alabama dans la voix. Si j'avais su que je vous dérangeais dans un moment pareil. Je cherche juste du travail pour subvenir à mes besoins et à ceux de ma fille que voici, mais je ne vais pas vous déranger plus long-temps… Comment ? Eh bien, je dois avouer qu'un verre de citronnade ne serait pas de refus. »

Insidieusement, Marjorie attendrissait le cœur d'un de ces veufs esseulés juste assez longtemps pour gagner sa confiance, et accéder à son compte en banque.

Et puis elles partaient pour une autre ville.

«On ne pourrait pas rester au même endroit pendant un moment? demandait Keisha à sa mère. Pour que je puisse aller à l'école et me faire des amis.»

L'endroit où elles restèrent le plus longtemps fut Middlebury, quand Marjorie se fit embaucher pour gérer un hôtel meublé où presque tous les résidents étaient des personnes âgées qui vivotaient, seules, grâce à leurs chèques de retraite, avec lesquels elles payaient le loyer. Marjorie avait songé à démissionner – le propriétaire, qui vivait en Floride, ne la payait pas beaucoup pour faire tourner la boîte – mais, une nuit, un des résidents était mort dans son sommeil, et Marjorie avait eu une révélation. Si elle ne signalait pas la mort du pauvre vieux Garnett, et se débarrassait de son corps, elle pourrait encaisser ses chèques de pension mensuels. Et si elle sous-louait sa chambre à quelqu'un, l'argent irait dans sa poche.

Avec l'aide de Keisha – qui était alors adolescente –, Marjorie avait sorti le corps de la maison un soir tard, et l'avait enterré dans les bois à la sortie de Middlebury. C'était Keisha qui encaissait les chèques – sa mère, dont la main était très hésitante, tenait vraiment à ce que la signature soit rigoureusement identique à celle de Garnett, et avait obligé Keisha à s'entraîner sans relâche jusqu'à savoir parfaitement l'imiter.

Au cours des six mois suivants, deux autres résidents moururent. L'arnaque prit de l'ampleur. Marjorie touchait désormais trois chèques de retraite, plus son salaire de gérante.

Elle gagnait très bien sa vie, jusqu'à ce que, un beau jour, une femme passe, cherchant à renouer avec son oncle Garnett, perdu de vue depuis longtemps, et, ne le trouvant pas, annonça qu'elle allait signaler sa disparition au poste de police.

« Fais tes valises, avait chuchoté Marjorie à sa fille sitôt la femme partie. On quitte la ville dans cinq minutes. »

La police ne l'attrapa jamais. Quand elle mourut, d'un cancer du foie, elle n'avait jamais passé un seul jour en prison.

Keisha savait que c'était mal, mais qu'était-elle censée faire ? Dénoncer sa mère ?

Pour Keisha, les dés étaient peut-être pipés pour ce qui était de gagner honnêtement sa croûte, mais aujourd'hui, elle avait eu droit à un sacré rappel à l'ordre. Il y avait certainement quelque chose, une activité légale, qui lui permettrait de mettre ses compétences à profit.

La politique, peut-être.

Ça la ferait presque rire. En réalité, même s'il y avait eu des variations sur ce thème, elle avait vendu aux gens des choses extravagantes : elle leur avait proposé de les aider à communiquer avec des parents décédés, de leur donner un aperçu de leur avenir en lisant dans les astres, d'utiliser ses dons de médium pour retrouver des proches disparus.

Si elle était capable de leur faire avaler ce genre d'âneries, ce ne devait pas être bien difficile de

176

vendre des voitures, ou des assurances, ou de la moquette?

Keisha se dit qu'elle pouvait le faire. Qu'elle devait le faire. Pas pour elle-même, mais pour Matthew.

Ce n'était pas derrière les barreaux qu'elle pourrait être une mère.

Il fallait qu'elle tourne cette fameuse nouvelle page. Il fallait qu'elle se débarrasse de Kirk. Mais d'abord, elle allait devoir sortir du pétrin dans lequel elle s'était fourrée. Ensuite, elle pourrait commencer à envisager une nouvelle carrière professionnelle. S'acheter de nouveaux vêtements. Moins branchés, plus classiques. Pas de boucles d'oreilles en forme de perroquet. Peut-être une autre coupe de cheveux. Un look plus passe-partout. Et, bien sûr, il faudrait qu'elle se fasse faire de nouvelles cartes de…

Non. Non, non, non, non.

Elle lui avait donné sa carte de visite. Wendell Garfield l'avait glissée dans la poche de sa chemise.

20

Kirk ouvrit la portière passager de la coréenne merdique, vieille de quinze ans, de Keisha et posa le sac-poubelle sur le plancher devant le siège. Il alla chercher une boîte de lingettes humides dans son 4 × 4 – il possédait toute une réserve de produits de nettoyage automobiles rangée derrière les sièges – et utilisa la première pour essuyer la poignée de la portière du conducteur. Ensuite il s'occupa du siège. Il utilisa deux douzaines de lingettes, les enfonçant dans les craquelures et les fissures des garnitures en vinyle des sièges. Du sang, il n'y en avait pas tant que cela, mais il savait qu'il n'en faudrait pas beaucoup pour que les flics arrivent à coincer Keisha. Il ne regardait pas uniquement *Une famille en or*. Il savait des trucs.

Il trouva plus de traces de sang en essuyant le volant. Keisha en avait eu plein les mains, bien sûr. Il prit toutes les lingettes rougies et les fourra dans le sac-poubelle, qui n'était pas encore fermé. Une fois sûr que l'habitacle de la voiture était non seulement débarrassé de toute trace de sang, mais plus propre qu'il ne l'avait jamais été depuis que la voiture avait quitté le showroom, il noua les liens rouges du sac et s'installa dans le siège conducteur.

Il lui sembla que ce serait peut-être une bonne idée de faire laver toute la voiture pendant qu'il y était. Il y avait une station de lavage en libre-service sur la route 1. Il fouilla dans ses poches pour s'assurer qu'il avait assez de monnaie. Il demanderait à Keisha de le rembourser plus tard.

Il gara la voiture sur un emplacement de lavage. Il avait l'embarras du choix. Presque personne ne lavait sa voiture quand il avait neigé dans la nuit et que les rues étaient mouillées et couvertes de neige fondue. Il inséra quelques pièces et dirigea le jet à haute pression sur le flanc de la voiture, côté conducteur. En insistant sur la portière, histoire de.

Quand il eut terminé, il prit l'autoroute à péage et se dirigea vers l'ouest. Au début, il comptait pousser jusqu'à Westport, voire Norwalk, mais il n'était même pas arrivé à Bridgeport qu'il commençait à se dire que Keisha avait décidément eu une idée débile. Un sac d'ordures était un sac d'ordures, même rempli de vêtements ensanglantés. Du moment qu'il le jetait dans un endroit où il y avait déjà plein de sacs, il ne voyait pas l'utilité de traverser la moitié de l'État en bagnole. N'importe quelle benne ferait l'affaire.

Il quitta donc l'autoroute à Seaview et roula vers le nord, en essayant de repérer une benne à l'arrière d'un centre commercial. Il pourrait balancer le sac, être de retour chez Keisha en moins d'une heure, et en apprendre un peu plus sur le pétrin dans lequel elle s'était fourrée. Bon Dieu, ce qu'elle pouvait être bête des fois.

Quand on vivait avec elle, il ne fallait s'étonner de rien. Toutes sortes de gens bizarres passaient à

179

la maison, pour s'entendre dire par Keisha qu'ils devaient quitter leurs boulots ou se marier, ou bien qu'elle essaie d'entrer en contact avec leurs chats morts afin qu'ils puissent leur dire bonjour par son truchement, pour eux, les foutaises qui lui passaient par la tête, c'était des paroles d'évangile. Et, de temps à autre, quand un gamin se faisait enlever, ou qu'un malade d'Alzheimer s'échappait de la maison de santé, des parents angoissés – du moins ceux qui gobaient les absurdités susmentionnées – demandaient conseil à Keisha.

Les gens gobaient de ces trucs.

Kirk participait, en jouant le père dont Keisha avait retrouvé la fille disparue grâce à une vision. Il estimait qu'il faisait du bon boulot, à condition qu'on ne lui pose pas trop de questions. Une fois qu'il avait commencé à mentir, il avait du mal à se rappeler tout ce qu'il avait déjà dit, et finissait par se contredire. Il ne s'étendait pas, faisait mine d'être étranglé par l'émotion et disait : « Cette femme, Keisha, c'est grâce à elle que notre petit ange est revenu à la maison. Je ne peux même pas imaginer ce qui aurait pu se passer si elle n'avait pas été là pour nous. »

Il aurait mérité un oscar.

On ne s'ennuyait jamais avec Keisha, mais, putain, elle avait vraiment mis la barre très haut cette fois. D'après ce qu'elle avait eu le temps de lui dire pendant qu'elle faisait son strip-tease, elle avait tué ce type en état de légitime défense en lui plantant une aiguille à tricoter dans l'œil.

Dans l'œil, putain. Il n'en revenait pas.

Il n'aurait pas pu deviner, quand il s'était installé chez elle, qu'un truc pareil arriverait. Il sentait bien que ce ne serait pas parfait, avec le gosse et tout, mais au début, ça n'était pas trop pénible, et Keisha était géniale au pieu. Elle lui assurait qu'elle prenait ses précautions pour éviter de tomber enceinte, pas comme quand elle avait eu cette histoire, onze ans auparavant, avec ce soldat en permission et qui avait traîné assez longtemps à Milford pour semer sa petite graine. Après il avait repris l'avion pour aller faire sauter d'autres talibans. Keisha ne savait pas s'il continuait à rempiler parce qu'il aimait vraiment se balader dans un tank par cinquante degrés à l'ombre, ou parce qu'il ne voulait pas endosser son rôle de père au pays.

Matthew ne l'avait vu que deux fois en neuf ans. Soit une fois de plus qu'il n'avait envoyé d'argent : 123 dollars et 43 cents.

Keisha, par contre, était doublement dévouée au p'tit con. D'accord, ce n'était peut-être pas un mauvais gamin, mais le fait était qu'il était *là*. C'était pas évident de satisfaire ses besoins quand un morveux traînait dans les parages, à jouer à la Wii, à demander à ce qu'on l'emmène au centre commercial, à attraper des rhumes et à attendre que sa mère s'occupe de lui. Et des tas de fois, elle lui faisait son petit déjeuner ou un sandwich ou lui apportait un casse-dalle à l'heure du coucher, et elle ne pensait même pas à lui demander s'il n'avait pas lui aussi envie de quelque chose.

N'empêche, ç'avait été un bon plan de se mettre en ménage avec elle. Il s'était montré aussi gentil que possible quand il l'avait rencontrée. Et s'il l'avait traitée avec respect, ce n'était pas de la comédie. Elle était canon. Joli corps, joli visage. Ce premier soir chez elle, il avait découvert qu'elle était aussi capable de cuisiner des repas potables. Il y était allé en douceur ; il ne voulait pas qu'elle croie qu'il avait juste envie de se la taper, mais, une fois qu'elle lui avait dit que le gosse dormait, il avait su qu'elle en avait envie, et il avait été ravi de lui rendre service. Ce que Kirk ne s'était jamais résolu à lui dire, c'est qu'il n'avait pas vraiment d'endroit à lui. Son ex l'avait flanqué à la porte, et il s'était mis à dormir sur les canapés de différents types qui bossaient pour Garber Contracting, sauf Glen lui-même qui ne prenait pas de pensionnaires quand il avait une jeunette à la maison. Ça ne pouvait pas durer éternellement, si bien que quand Keisha avait commencé à laisser entendre que puisqu'il restait dormir presque tous les soirs de toute façon, il pourrait peut-être…

Ça s'était pas mal passé ces premières semaines, avant que Glen réduise ses heures. Ensuite il s'était blessé au pied et, d'une certaine manière, c'était tombé au bon moment, parce qu'il voyait bien que Keisha avait commencé à réexaminer la situation, à se demander si l'inviter à s'installer chez elle avait été une si bonne idée finalement. Elle n'allait pas le mettre dehors alors qu'il était en convalescence. Elle était trop gentille pour ça.

Et maintenant que son pied était pratiquement guéri, il sentait qu'elle songeait peut-être à nouveau à mettre fin à leur relation. Mais voilà qu'elle avait besoin de lui. Et pas qu'un peu. Quelle femme va mettre à la rue l'homme qui l'a aidée à couvrir un meurtre ?

Oh, ouais, il était dans la place pour longtemps. Ça ne faisait plus aucun doute.

Tiens, ç'avait l'air bien comme endroit.

Un petit centre commercial sur la droite, avec un salon de manucure, un vendeur de pizzas à emporter, une boutique de tee-shirts, et un magasin qui vendait des voitures radiocommandées.

J'ai toujours voulu en avoir une, songea Kirk. *Maintenant que j'ai mes jantes pour la caisse, il est temps de me faire un autre petit plaisir.*

Il devait forcément y avoir une benne à ordures derrière une rangée de boutiques comme celle-là, surtout avec une pizzeria.

Il mit son clignotant, tourna dans le parking, longea le flanc du bâtiment et s'arrêta derrière, près d'une poubelle métallique cabossée, grande comme le tas de merde qu'il conduisait. Le conteneur se trouvait à une dizaine de mètres du bâtiment, et était cerné par d'autres ordures. Des palettes abandonnées, des bouts de tuyaux rouillés, un vieux four, une demi-douzaine de pneus.

Kirk descendit et fit le tour de la voiture. Il ouvrit la portière côté passager, prit le sac, et s'approcha du conteneur. Il allait soulever le couvercle et le jeter à l'intérieur quand il fut interrompu.

— Vous faites quoi, là ?

Une porte venait de s'ouvrir. À en juger par sa position, Kirk supposa que c'était celle de l'entrée de service de la pizzeria. Un Noir en jean, tee-shirt noir et tablier blanc barbouillé de sauce tomate le regardait.

— Je jette juste ça, dit Kirk.

— Vous ne jetez rien du tout.

—C'est juste un sac. Détends-toi, mec.

—Quoi, vous croyez que notre poubelle est à votre disposition. Vous avez des poubelles, mettez-les devant chez vous.

—Hé, mon pote, pourquoi ne pas…

—Je suis pas ton pote, trouduc. On paie pour faire enlever ces ordures. Vous voulez y jeter votre sac ? C'est dix dollars.

Il fit un pas en avant, laissant la porte métallique se refermer derrière lui. Il raccourcit encore la distance entre eux. Kirk avait toujours une main sur le sac, l'autre sur le couvercle métallique, mais il ne l'avait pas soulevé suffisamment pour balancer le sac à l'intérieur. L'autre homme le referma violemment avec un fracas métallique. Si Kirk n'avait pas retiré sa main à temps, il aurait perdu un pouce.

—C'est quoi ton problème ? demanda-t-il.

Il pensa à une bonne question pour *Une famille en or* : « Nommez un endroit où les têtes de nœud ont le plus de chance de travailler ? » Il crierait : « Un restaurant de pizzas à emporter ! »

Au lieu de quoi, il dit :

—Tu as un pepperoni dans le cul ou quoi ?

Il avait vraiment envie de se faire ce type. Lui foutre une bonne raclée.

—C'est ce que tu veux ? demanda l'homme. Tu veux qu'on se mette sur la gueule pour ça ? Parce que si c'est ce que tu veux, ça me va.

Kirk laissa tomber le sac qui contenait les vêtements, le sac à main et les chiffons ensanglantés de Keisha sur l'asphalte, de façon à avoir ses deux poings disponibles.

La porte de service de la pizzeria s'ouvrit à nouveau, et un autre homme en sortit. Un Blanc, qui faisait près de deux fois la taille du Noir.

Merde, pensa Kirk.

— Hé, Mick, donne-moi un coup de main avec ce trou du cul ! dit le Noir.

Mick ne parut pas se soucier du motif de la querelle. Pour l'instant, il était trop occupé à chercher quelque chose pour bastonner Kirk, et il le trouva contre le mur. Soixante centimètres de tuyau de plomb mis au rebut. Il brandit l'objet à la manière d'un gourdin, regarda Kirk, et sourit.

Kirk prit ses jambes à son cou.

Il remonta dans sa voiture, claqua la portière, opéra un rapide demi-tour, manquant Mick de peu quand il passa à côté de lui en marche arrière, puis rejoignit la rue pied au plancher.

Il avait parcouru plusieurs centaines de mètres avant de se rendre compte qu'il avait laissé le sac près du conteneur.

21

La police scientifique et technique était arrivée chez les Garfield. Rona Wedmore les laissa faire leur travail. Huit agents en tenue s'étaient également présentés, que Wedmore avait déployés dans le quartier, pour interroger les voisins au cas où l'un d'eux aurait vu quelque chose. Avant de partir, elle demanda à Joy Bennings, la responsable de la scientifique, de lui faire savoir ce qui se trouvait sur la carte glissée dans la chemise de Wendell Garfield. Wedmore n'avait pu distinguer que deux chiffres – le début d'un numéro de téléphone – dans un coin. Elle l'avait laissée dans la poche. Comme le sang dont elle était imprégnée n'était peut-être pas celui de la victime, elle avait préféré ne pas y toucher.

Après quoi elle prit sa voiture et retourna au poste pour reprendre l'interrogatoire de Melissa.

Sur le trajet, on l'informa qu'une Mme Beaudry s'était présentée à l'accueil comme la tante de Melissa et avait dit qu'elle cherchait sa nièce ou son père.

Quand Wedmore entra dans le hall du poste de police, elle vit une femme toute frêle qui devait avoir dans les quarante-cinq ans et ne mesurait guère plus d'un mètre cinquante. *Un physique d'oiseau*, pensa

Wedmore. *Si vous la serriez trop fort dans vos bras, vous risqueriez de lui briser les os.*

—Vous êtes madame Beaudry? La tante de Melissa Garfield?

La femme ouvrit de grands yeux pleins d'espoir.

—Oui!

—Vous êtes la sœur d'Ellie Garfield?

—Non, je suis la sœur de Wendell. Je m'appelle Gail. J'ai essayé de joindre Wendell à la maison et comme ça ne répondait pas... Il n'a pas de téléphone portable... j'ai pensé les trouver tous les deux ici. Mais on me dit que Wendell n'est pas là, et on ne me laisse pas parler à Melissa. Que se passe-t-il?

—Vous voulez bien vous asseoir, madame Beaudry?

—Non, je ne veux pas m'asseoir! Où est Melissa? Elle va bien? Son père n'est pas avec elle?

—Melissa est parfaitement en sécurité. Je dois vous poser quelques questions, madame Beaudry.

—À quel sujet?

—Au sujet de Melissa, de votre frère, et d'Ellie.

La femme, déconcertée, attendit la première question.

—Quand avez-vous parlé à votre frère pour la dernière fois? demanda Wedmore.

Elle regarda l'inspecteur avec perplexité.

—Pourquoi?

—Madame Beaudry, s'il vous plaît. À quand remonte votre dernière conversation?

—À hier soir. Je lui ai téléphoné avant d'aller me coucher pour savoir s'il avait du nouveau.

—Vous ne lui avez pas parlé aujourd'hui?

—Non.

187

— Et Melissa ? Vous êtes-vous entretenue avec elle au cours des dernières vingt-quatre heures.

— Je les ai vus tous les deux à la conférence de presse. Pour les soutenir moralement. Mais depuis, je n'ai pas parlé à Melissa.

— Que pouvez-vous me dire de son état d'esprit ? demanda Wedmore.

— Elle est complètement désemparée, bien sûr ! Qui ne le serait pas ?

— Vous a-t-elle dit quelque chose en particulier ?

— Non, pas vraiment. Je lui ai simplement rappelé, et à Wendell aussi, que nous ferions tout notre possible pour leur venir en aide. Comme eux, nous voulons juste qu'Ellie rentre à la maison saine et sauve.

Wedmore hocha la tête.

— Je vois. À propos de Wendell…

— Oui ?

— Savez-vous si votre frère était engagé dans des affaires, des relations personnelles qui auraient pu lui valoir des inimitiés ?

— Non, non, bien sûr que non.

— Vous ne connaissez personne qui pourrait en vouloir à votre frère pour une raison ou une autre ?

Alors même qu'elle posait la question, elle pensa au mari de Laci Harmon. Celle-ci avait affirmé qu'il n'était pas au courant de sa liaison. Mais s'il l'était ? S'il était allé chez Garfield pour lui réclamer des comptes ?

Laci Harmon lui avait dit ce matin que son mari revenait de Schenectady. Avec les enfants. Il faudrait vérifier ça, mais si c'était le cas, son mari n'était sans doute pas l'assassin.

—Où voulez-vous en venir à la fin ? Pourquoi me posez-vous toutes ces questions ? Vous ne devriez pas être en train de chercher Ellie, vous autres ? Trouver ce qui lui est arrivé ?

Wedmore prit une grande inspiration.

—Madame Beaudry, je regrette d'avoir à vous annoncer cela, mais votre frère est mort.

Gail Beaudry pencha la tête de côté, comme un chien qui a entendu siffler.

—Wendell est… quoi ?

—Votre frère est mort. Ce matin. Il y a quelques heures. Je suis sincèrement navrée, dit-elle en lui touchant le bras.

La femme mit un moment avant de comprendre.

—Comment le savez-vous ? Il est ici ? Où est-ce que ça s'est passé ? Chez lui ? Il a eu une crise cardiaque ? Oh, mon Dieu, il a probablement fait une crise cardiaque. C'est ce qui s'est passé ? Une attaque ? C'est sans doute, ça. Tout ce stress, de ne pas savoir ce qui est arrivé à Ellie, oh non, oh non…

—Ce n'était pas une crise cardiaque, expliqua Wedmore avec douceur. Et ce n'était pas une attaque. Votre frère a été victime d'un homicide.

—Il a… Il a quoi ?

—Quelqu'un l'a tué, madame Beaudry.

—Mon Dieu. D'abord Ellie qui disparaît, et maintenant Wendell assassiné ?

Une idée sembla surgir dans son esprit.

—Est-ce que ça signifie… oh, non… est-ce que ça signifie qu'Ellie, elle aussi, a été assassinée ?

Wedmore hésita.

—En fait, nous pensons que oui.

La nouvelle était difficile à assimiler pour Gail : deux membres de sa famille venaient d'être assassinés. Il lui fallut un peu de temps pour retrouver l'usage de la parole.

— Alors, il y a quelqu'un là, dehors, qui a tué Ellie et Wendell ?

Wedmore s'arma de courage. Il faudrait bien qu'elle y vienne tôt ou tard.

— L'individu qui a tué votre frère court toujours, oui.

— Je ne… Je ne comprends pas.

— Les éléments dont nous disposons pour l'instant laissent penser que votre frère et votre belle-sœur ont été tués par des personnes différentes. Dans des circonstances parfaitement distinctes.

— Des personnes différentes ? répéta Gail Beaudry, qui commençait à y voir un peu plus clair. Vous voulez dire que vous avez arrêté l'homme qui a assassiné Ellie ?

Wedmore trouva naturel que Gail Beaudry présume que sa belle-sœur avait été tuée par un homme. La plupart des tueurs étaient des hommes.

— Madame Beaudry, nous allons inculper Melissa pour la mort de votre belle-sœur. Si vous ne pouvez pas la voir, c'est qu'elle est en garde à vue.

La femme réagit au quart de tour.

— C'est ridicule. Ce n'est pas vrai. C'est absolument grotesque.

— Je crains que non.

— Elle ne ferait jamais une chose pareille. Jamais ! Melissa et sa mère étaient très proches. Je n'ai jamais entendu quelque chose d'aussi scandaleux. Pour l'amour du ciel, quelles que soient les preuves que vous pensez avoir, je suis sûre qu'il y a une explication. Parlez-lui! Elle mettra les choses au clair.

— Melissa a avoué. Elle est venue se livrer tout à l'heure.

Comme Gail restait sans voix, l'inspecteur ajouta:

— Mais elle se trouvait ici, quand son père a été tué. Nous ignorons quel est le lien entre les deux meurtres.

— C'est délirant, insensé. Il faut que… Il faut que j'appelle quelqu'un, annonça Gail Beaudry en fouillant dans son sac à la recherche de son téléphone. Et mon mari, je vais devoir appeler mon mari.

Wedmore s'excusa et partit. Elle devait retourner voir Melissa.

La fille hurla comme un animal blessé.

Elle étreignit l'inspecteur Wedmore, plaqua son visage contre sa poitrine et sanglota.

— Non, non, non.

Ça ne faisait pas exactement partie de la procédure de prendre les meurtriers présumés dans ses bras et de les consoler, mais ce fut ce que Wedmore se surprit à faire. Elle tapota tout doucement le dos de la jeune femme, en pensant que son geste était vraiment pathétique. Autant lui dire: « Allez, allez, ça va aller.»

— Papa, gémit Melissa. Papa.

— Je dois vous poser quelques questions, annonça Wedmore.

Au lieu de lui faire face de l'autre côté de la table, elle déplaça sa chaise pour s'asseoir à côté de Melissa.

— Qu'est-ce que vous ne m'avez pas dit, Melissa ? Qu'est-ce que vous ne me dites pas ?

— Je vous ai tout dit, je le jure.

— Qui voudrait faire du mal à votre père ?

— Mais personne.

— Est-ce que quelqu'un d'autre vous a aidée, Melissa ? Y avait-il une troisième personne pour transporter votre mère jusqu'au lac ?

— Non, je vous assure, il n'y avait que mon père et moi. Il n'a même pas fait de mal à maman. C'était moi, rien que moi.

— Et le père de votre enfant ?

— Lester ?

— C'est ça. Est-ce que votre père et lui s'entendaient bien ? Est-ce qu'ils auraient pu se disputer ?

— Ils l'aimaient bien Lester, mes parents, affirma Melissa. Ils étaient furieux après moi parce que je ne voulais pas me marier avec lui.

Elle enfouit à nouveau son visage dans ses mains et pleura.

Wedmore soupira, et se leva.

C'était l'affaire la plus dingue dont elle s'était occupée depuis longtemps.

Au moment où elle sortait de la salle d'interrogatoire, son téléphone bipa. C'était un message de Joy :

« J'ai quelque chose. Appelle-moi. »

22

Keisha essaya de réfléchir à la manière dont elle allait expliquer ça.

Parce qu'il faudrait bien qu'elle se justifie. Ça ne faisait aucun doute dans son esprit. La police finirait par trouver Wendell Garfield, si ce n'était pas déjà fait, et, tôt ou tard, ils découvriraient sa carte de visite, glissée dans sa poche de chemise.

Si elle s'était trouvée ailleurs – dans un tiroir, dans son portefeuille, même –, ça n'aurait pas porté à conséquence. Au fil du temps, tout le monde accumule un tas de cartes de visite. Vous les trouvez dans votre voiture, la poche de votre manteau, punaisées sur des tableaux d'affichage.

Mais une carte glissée dans une chemise, eh bien, c'est une carte acquise, ou du moins consultée, très récemment. En supposant que Wendell Garfield ne portait pas la même chemise plusieurs jours d'affilée, la police pouvait raisonnablement présumer qu'il s'était procuré cette carte, ou qu'il l'avait regardée, au cours de ces deux derniers jours. Depuis que sa femme avait disparu.

Et comment la plupart se procuraient-ils ces cartes ? De la main des gens dont le nom figurait dessus.

Ce n'était qu'une question de temps avant que la police frappe à sa porte pour lui demander si elle avait rencontré Wendell Garfield. Quand avait eu lieu cette rencontre ? Où s'était-elle déroulée ? Quel était son objet et qui en avait eu l'initiative ?

Que leur dirait-elle ?

« Je ne sais absolument pas comment il s'est procuré cette carte. »

Voilà ce qu'elle leur dirait.

Elle allait peut-être avoir du mal à se tenir à cette version, mais maintenant que Kirk s'était débarrassé de tous les autres indices la rattachant au domicile des Garfield, elle croyait pouvoir y arriver.

Elle leur raconterait qu'elle épinglait souvent sa carte sur les panneaux d'affichage des épiceries. Il lui arrivait d'en laisser quelques-unes sur des tables, pendant les événements organisés par les centres communautaires. Elle les distribuait à des inconnus qu'elle pouvait rencontrer en faisant la queue à la caisse des magasins, ou à un arrêt de bus.

Les cartes étaient à la disposition de qui voulait les prendre, affirmerait-elle. Qui sait où il avait pu trouver celle-là ?

Il en avait peut-être trouvé une par hasard des semaines auparavant, l'avait déposée dans un tiroir, et, après que sa femme avait disparu, avait pensé qu'une voyante pourrait lui être plus utile que la police. Il l'avait mise dans sa chemise, et il l'aurait probablement appelée s'il n'avait pas fini avec une aiguille à tricoter dans le cerveau.

Évidemment, seule Keisha savait que cela n'aurait eu aucun sens pour Garfield de recourir aux services d'une voyante pour retrouver sa femme.

Il savait tout du sort de cette dernière. Mais ça, la police l'ignorait, n'est-ce pas ? Pour elle, Wendell Garfield était un mari éperdu attendant désespérément le retour de sa femme. La police commencerait peut-être même à creuser l'hypothèse selon laquelle celui qui s'était débarrassé d'Ellie – à un moment ou à un autre, ils concluraient qu'elle avait été victime d'un acte criminel, même s'ils ne retrouvaient jamais son corps au fond de ce lac – avait aussi tué son mari.

Ce serait logique, non ?

Et franchement, qu'est-ce que sa carte de visite avait à voir dans tout ça ?

C'est juste une carte.

Elle essaya de se persuader qu'il n'y avait pas lieu de s'inquiéter. *Joue les innocentes, reste évasive, fais l'étonnée.* Quelle que soit la façon dont il était entré en possession de sa carte, ce n'était pas à elle de fournir une explication.

Le téléphone sonna.

Keisha le regarda sans bouger. Sans doute Chad qui rappelait, ou un autre client dans le besoin. *Laisse-le basculer sur le répondeur.* Ce qu'il ferait au bout de cinq sonneries. La sonnerie cessa, et Keisha attendit que le voyant clignote pour signaler qu'on avait effectivement laissé un message. Il ne s'alluma pas.

C'est aussi bien, se dit-elle.

Il y eut un bruyant cliquetis derrière la porte d'entrée, puis elle l'entendit qui s'ouvrait. Keisha sursauta presque autant que la première fois que le téléphone avait sonné.

Qui ça pouvait bien être ? Il était trop tôt pour que Kirk soit de retour, non ?

— Hello, bébé ! appela-t-il.

Keisha le rejoignit dans l'entrée.

— Qu'est-ce que tu fais ici ?

— Comment ça ?

— Tu es allé où ? Où est-ce que tu t'en es débarrassé ?

— Tout est arrangé, annonça-t-il avec un geste dédaigneux de la main.

— D'accord, mais où ?

— J'ai fait ce que tu m'as demandé, OK ? C'est fait.

Il tenta de passer devant elle pour aller à la cuisine, mais elle posa la main sur sa poitrine.

— Je t'ai dit de l'emporter loin d'ici et te voilà déjà de retour.

— Eh ben, merde, elle était débile ton idée. L'important, c'était de pas le balancer dans ton jardin, non ? Ce n'est pas parce que tu ne veux pas mettre le sac devant chez toi le jour du ramassage des ordures qu'on doit aller à Pétaouchnok et retour.

Keisha secoua la tête avec colère.

— Où est-ce que tu l'as balancé ?

Il la repoussa d'un revers de main.

— Écoute, tu me dois du fric. J'ai eu des frais, à la station de lavage. J'ai dépensé tout ce que j'avais.

— Où as-tu jeté le sac ?

C'était plus un cri qu'une question.

— Putain, ne te mets pas dans un état pareil. Du côté de Bridgeport, répondit-il.

— Qu'est-ce que je t'avais dit ?

— J'ai entendu ce que tu as dit, mais, une fois là-bas, j'ai eu des décisions à prendre. J'ai repéré le coin idéal derrière une rangée de magasins, et c'est là que je l'ai laissé.

Elle secoua la tête, exaspérée.

— Je te jure… Est-ce que tu l'as enfoncé dans la benne avec d'autres sacs au moins ?

Kirk hésita.

— Alors ? demanda Keisha.

— Plus ou moins.

— Comment ça, plus ou moins ?

— Bon, je me gare derrière les magasins et je vais pour mettre le sac dans la benne, d'accord ? Et il y a cet enfoiré qui sort de cette pizzeria par la porte de derrière et commence à me chercher parce que je veux jeter mes ordures dans sa poubelle, alors…

— Attends une minute. Il t'a vu ? Et il a vu la voiture ? Et il t'a vu mettre le sac dans la benne ?

— Bon Dieu, laisse-moi finir, dit Kirk.

Keisha commençait sérieusement à lui taper sur les nerfs.

— Enfin bref, le type arrête pas de me faire chier avec ça, et moi, je me dis, c'est quoi le problème, c'est qu'un pauvre sac-poubelle, qu'est-ce que ça peut faire que je le balance dans sa benne ? Alors lui, il se comporte comme s'il voulait se battre, ce qui me va, mais à ce moment-là, un autre gars gaulé comme un réfrigérateur arrive en renfort avec ce putain de tuyau qu'il balance comme une batte de base-ball. Alors j'ai dû me casser. Je peux prendre un type, pas de problème, mais deux, c'est un peu beaucoup.

— Tu penses qu'ils ont appelé la police ?

— Pourquoi ils feraient ça ? À cause d'une embrouille autour d'un sac-poubelle ? Qui va appeler les flics pour ça ? C'étaient juste deux types qui bossent dans une pizzeria. Ne te fais pas de bile pour si peu.

Keisha était très inquiète. Et s'ils avaient noté l'immatriculation de sa voiture ?

— Alors, tu as fini par le mettre où, le sac ?

— Bon je t'explique. Quand ce connard a commencé à venir sur moi avec son tuyau, j'ai dû mettre les voiles, sur-le-champ. Et j'ai laissé le sac sur place.

— Tu l'as laissé là-bas ? Où ils t'avaient vu ?

— Il m'aurait tué l'autre avec son tuyau, se défendit Kirk.

Keisha regrettait qu'il ne l'ait pas fait.

— Dis-moi au moins que tu as bien enfoncé le sac dans la benne avant que ça arrive. Personne n'ira fouiller dans une benne à ordures pour chercher un sac en particulier. Pas après que tu es parti.

Kirk fit une drôle de tête et se frotta le menton.

— Eh bien, je serais d'accord avec toi si ça c'était passé comme ça. Mais en fait, je n'ai pas mis le sac dans la benne.

— Quoi ?

— J'ai dû le laisser par terre. Quand ce type a commencé à s'en prendre à moi. Il m'aurait défoncé le crâne, sinon.

Est-ce que le sol penchait ? Étaient-ils sur un bateau en train de faire naufrage ? Keisha avait l'impression que tout tanguait.

— Tu es en train de me dire que tu l'as laissé là-bas ? Sur place ? Merde, pourquoi tu ne l'as pas carrément vidé pour qu'ils puissent bien voir ce qu'il contenait ? Qu'est-ce qui a bien pu te…

Y en a marre, se dit-il.

Il explosa, la poussant contre le mur avec une telle violence qu'elle en eut le souffle coupé. Il referma sa main droite sur sa gorge, immobilisant sa tête contre le mur, la serrant juste à l'endroit où la ceinture rose avait mordu sa chair.

—J'en ai ma claque de tes reproches, dit-il, les dents serrées. J'essaie de t'aider et ton ingratitude commence à me taper sur le système.

—Lâche… -moi… j'étou…

Keisha leva la jambe, tenta de lui donner un coup de genou dans le bas-ventre. Il recula d'un bond, lui lâcha le cou. Keisha se plia en deux, toussa à plusieurs reprises.

—Je me laisserai plus traiter comme de la merde, menaça-t-il, l'index pointé sur elle. Je t'ai aidée sur ce coup-là, je t'ai aidée à élever le gamin, je me suis occupé de toi, et tu ne me montres pas le moindre respect.

Même en toussant, Keisha réussit à rire.

—Ouais, tu es très précieux. Tu es même indispensable.

Il pointa un doigt menaçant.

—C'est ça dont je parle ! Ton insolence ! Comment ton p'tit con de fils va me respecter si sa mère ne me respecte pas !

—Tu l'insultes et tu veux du respect ? dit-elle en reprenant son souffle. Il te voit assis à rien faire toute la journée, abuser du système avec ton pied blessé. Je ne t'ai pas vu boiter une seule fois aujourd'hui.

— Je n'aurais pas le temps de maquiller tes multiples crimes si je devais traîner la patte partout où je vais, rétorqua-t-il. Le fait est que tu ne serais rien sans moi. Tu te serais fait baiser aujourd'hui, c'est sûr. Tu as besoin d'un homme à la maison.

— Ça serait bien, persifla-t-elle. Tu sais où je pourrais en trouver un ?

Il se jeta à nouveau sur elle, mais avant qu'il ait pu l'atteindre, elle lui griffa le visage.

— Salope ! cria-t-il, en faisant un bond en arrière. (Il toucha sa joue, regarda le sang sur sa paume.) Tu es dingue ?

— Il faut que tu y retournes.

— Hein ?

— Il faut que tu ailles récupérer ce sac.

— Pas question.

Elle continua à voix basse, l'obligeant à écouter.

— S'ils ouvrent le sac et voient ce qu'il y a à l'intérieur, et se souviennent de ma voiture, on est grillés. Tu piges ?

Kirk sourit bêtement.

— Pas moi, bébé. C'est ton cul qui va frire, pas le mien.

— Tu crois ça ? Ce n'était pas moi qui conduisais, ce n'était pas moi qui essayais de me débarrasser des preuves.

Il la regarda, réfléchit, et son sourire s'effaça. Cela prit quelques secondes. *Autant essayer d'expliquer la deuxième loi de la thermodynamique à un pitbull,* songea Keisha.

— Merde, finit-il par dire.

—Il faut que tu ailles récupérer ce sac. Que tu voies s'ils l'ont jeté dans la benne. Et si c'est le cas, il faut que tu t'en débarrasses ailleurs.

—Oh, merde, soupira-t-il de manière presque pitoyable. Je peux pas retourner là-bas.

—Il le faut, martela Keisha.

Mon Dieu, quelle journée, songea-t-elle, *et elle est à peine à moitié terminée.*

—D'accord, d'accord, admit-il, résigné.

Devait-elle lui parler de l'autre problème ? Il n'allait pas apprécier, mais il était dans le coup avec elle, bon gré mal gré.

—Il y a autre chose.

Il lui décocha un regard qui signifiait : « Tu plaisantes, là ? »

—Garfield avait une de mes cartes de visite sur lui quand il est mort. Tôt ou tard, les flics vont débarquer et…

Quelqu'un se mit à donner de grands coups dans la porte.

23

Rona Wedmore, assise à l'avant de sa voiture banalisée, passa un appel à Joy, de la scientifique.

— Salut, dit Joy.

— J'ai eu ton message. Quoi de neuf ?

— On vient de faire la levée du corps, on n'en a pas tiré grand-chose, sinon que l'aiguille s'est enfoncée d'une douzaine de centimètres dans le crâne du mort.

— Tu supposes que c'est ça qui l'a tué ? demanda Rona.

— Tu es une marrante, toi.

— Je demande juste si on ne lui a pas fait autre chose avant ça.

— Je ne pense pas, mais tu seras la première informée de ce que je trouverai. Si j'ai appelé, c'est que j'ai examiné la carte de visite qui était dans sa chemise. Le nom est... attends, je l'ai noté. Voilà, « Keisha Ceylon, médium, chercheuse d'âmes perdues ». Plutôt classe.

Elle lut un numéro de téléphone et l'adresse d'un site Internet, que Rona griffonna dans son calepin.

— Ce nom me dit quelque chose, fit-elle remarquer.

—Tu l'as peut-être connue dans une vie antérieure.

—Tu te rappelles cette affaire, ce devait être il y a cinq ou six ans, à propos de cette femme à Milford dont la famille avait disparu quand elle avait quatorze ans ? Elle a passé quelque chose comme vingt-cinq ans sans savoir ce qui leur était arrivé.

—Archer, dit Joy. Cynthia Archer. À l'époque, je n'arrêtais pas de me demander pourquoi ça n'était pas arrivé à ma famille ?

—Le nom de cette Keisha avait fait surface à l'époque. Elle prétendait avoir des visions de personnes disparues. Elle a essayé de soutirer de l'argent aux Archer, je crois.

—Pour tout ce qui a trait aux visions, je vais m'en remettre à toi, dit Joy. Il y a autre chose. On dirait qu'il y a des traces de pas juste devant la petite fenêtre du salon, dans les plates-bandes. Le sol n'était pas si gelé que ça. Et il se peut qu'il y ait des empreintes sur la vitre.

Wedmore ne savait pas quoi en penser, mais demanda à être tenue informée.

Après avoir terminé sa conversation avec Joy, l'inspecteur passa plusieurs autres coups de fil sur son portable. Quand elle eut obtenu les réponses à certaines questions qu'elle avait posées, elle mit le contact et se rendit au lycée d'Old Fairfield.

Elle alla directement à l'administration, se présenta aux secrétaires de l'accueil, et leur annonça qu'elle devait parler à un des professeurs.

—Demandez-lui juste de descendre. Ne lui dites pas qui je suis.

L'une des secrétaires consulta un emploi du temps sur son écran d'ordinateur.

— Oui, mais là, il donne un cours de littérature américaine.

Wedmore lui lança un regard assez convaincant pour qu'elle décroche le téléphone et joigne la personne qu'elle recherchait. Elle transmit le message. Wedmore réquisitionna une petite pièce vide – le bureau du conseiller d'orientation –, et patienta.

Trois minutes plus tard, Terry Archer entra dans la pièce. Lorsqu'il vit qui l'attendait, son visage s'allongea.

— Oh, mon Dieu, dit-il. Que s'est-il passé ?

Wedmore lui lança un sourire rassurant.

— Rien, monsieur Archer, rien.

Elle tendit la main et le professeur la saisit, mais il ne paraissait pas vraiment rassuré.

— Ça fait plaisir de vous voir, dit-elle.

— J'aimerais pouvoir en dire autant, répliqua Archer. Ça m'a fait un choc de vous voir. Vous êtes sûre que tout va bien ? Est-ce que Grace va bien ? C'est à propos de Cynthia ?

— À ma connaissance, votre fille et votre femme vont parfaitement bien. Je ne suis pas ici pour elles. Que deviennent-elles, à propos ?

Archer la gratifia d'un sourire froissé.

— Grace va bien.

— Je me souviens qu'elle avait une vraie passion pour l'astronomie. Elle est toujours là-dedans ?

Il acquiesça de la tête.

— Elle veut être astronaute. Être un peu plus près des étoiles. Elle a été très contrariée d'apprendre qu'on avait mis la navette spatiale en sommeil.

— Enfin, je suis sûre qu'ils finiront par retourner dans l'espace un jour ou l'autre. Et Mme Archer... Cynthia. Comment va-t-elle ?

Archer hésita.

— Elle va bien. Ça va.

Il lui cachait quelque chose, mais Wedmore n'insista pas, attendant qu'Archer fournisse de lui-même davantage d'informations.

— Ç'a été dur pour elle, dit-il. Apprendre ce qui est arrivé à sa famille, ça n'a pas... ce n'est pas comme si ç'avait tout arrangé. Parfois, obtenir les réponses aux questions qu'on se pose ne fait qu'en soulever d'autres. Comment aller de l'avant, par exemple, sachant ce que je sais ? Pour l'instant, Cyn prend du temps pour elle-même, en quelque sorte.

— Vous êtes séparés ?

— Non, non, ce n'est pas ça. Pas exactement. Mais elle a besoin d'un peu d'espace en ce moment. Grace est avec moi. Tout va s'arranger. Vous savez, d'une manière ou d'une autre. Il faudra bien.

— Je suis désolée, compatit Wedmore. Comment Grace prend-elle ça ?

— Eh bien, elle entre dans l'adolescence. C'est difficile de savoir ce qu'elle pense. Elle n'aime pas se confier à moi. Mais je suppose que tous les parents d'adolescentes en passent par là, non ?

Wedmore désigna la pièce d'un geste de la main.

— Je ne pensais pas que vous enseigniez encore ici.

— Je suis revenu il y a deux ans, expliqua Archer. Ç'a été une bonne chose, de m'absenter un moment de cet endroit. Écoutez, j'ai une classe de primo-délinquants en herbe qui préféreraient voler des Caddie de supermarché que d'entendre parler de Hemingway, alors s'il y a quelque chose que je peux faire…

— Keisha Ceylon, répondit Wedmore.

— Bon Dieu.

— Qu'est-ce que vous pouvez me dire sur elle ?

— Après qu'ils ont fait cette émission de télé, à l'occasion des vingt-cinq ans de la disparition des parents et du frère de Cynthia, cette femme a surgi de nulle part en prétendant savoir des choses sur l'affaire. Non pas des informations de première main, mais des choses qu'elle avait vues en rêve ou dans une vision. On nous a demandé à Cynthia et à moi de donner une suite à l'émission pour que cette soi-disant voyante puisse nous révéler en direct ce qu'elle savait, mais quand elle s'est rendu compte que la chaîne ne lui paierait pas les mille dollars qu'elle espérait, elle s'est fermée comme une huître.

— Hum, fit Wedmore.

— Elle est passée à la maison une autre fois, pour essayer de nous soutirer de l'argent personnellement. Cynthia l'a foutue dehors par la peau des fesses.

— Elle ne vous a jamais recontactés depuis ?

Archer secoua la tête.

— On n'en a jamais plus entendu parler.

— Quelle impression vous a-t-elle faite ? demanda Wedmore.

—On s'est vus en tout et pour tout deux fois, brièvement. Mais c'est une opportuniste. Elle aime profiter des gens quand ils sont particulièrement vulnérables. Ce qui la met en bonne place sur ma liste des rebuts de l'humanité.

Wedmore sourit.

—Oui, je vois ça.

—Elle continue à sévir ?

—Ça se pourrait.

Une lueur soudaine passa dans les yeux d'Archer et son front se plissa.

—Ce truc aux infos. L'homme et sa fille. Qui demandait des renseignements sur sa femme.

Wedmore confirma de la tête et tendit à nouveau la main.

—Merci pour votre aide. Je vais vous laisser à vos élèves.

Archer tenta un dernier sourire, mais Wedmore devina qu'il lui en coûtait. Il portait son chagrin comme une veste.

—En fait, ça m'a fait plaisir de vous revoir. Vous nous avez été d'une aide précieuse dans un moment très sombre.

Il sortit discrètement du bureau du conseiller d'éducation. Pendant qu'elle le regardait partir, Wedmore eut l'étrange pressentiment qu'elle le reverrait bientôt.

24

—Merde, fit Keisha, alors qu'on continuait à cogner à la porte.

—Qu'est-ce que tu vas faire ? demanda Kirk, en tamponnant avec un mouchoir en papier le sang sur la joue qu'elle avait griffée.

Keisha ne savait pas trop s'il fallait ouvrir, ou bien s'échapper par la porte de derrière et sauter par-dessus la clôture du voisin. Cette seconde option lui parut plutôt stupide. Si c'étaient les flics qui voulaient lui parler, ils avaient sans doute déjà posté quelqu'un pour couvrir la porte de derrière.

—Je n'ai pas le choix, dit-elle.

Elle respira un grand coup et ouvrit la porte.

—Oh, Dieu merci vous êtes là ! s'écria Gail Beaudry, la main levée, prête à frapper à nouveau.

Ses yeux étaient injectés de sang d'avoir pleuré.

—Gail ?

—Il faut que je vous parle ! dit la femme en s'invitant dans la maison de Keisha.

Elle lança un regard à Kirk, qui restait planté là, ahuri.

—Il faut que je vous parle seule.

— Ce n'est pas le bon moment, fit valoir Keisha. Peut-être plus tard dans la semaine, mais pour l'instant…

— Il est mort! Mon frère est mort.

— Quoi?

— Quelqu'un a tué mon frère!

— Quoi?

— Quelqu'un a tué mon frère!

— Gail, j'ignore de quoi vous parlez.

— Ce matin, dit-elle. Et ils racontent toutes ces horreurs sur Melissa. Des choses ridicules! Qu'elle a tué sa mère. C'est du délire. La police est complètement à côté de la plaque! Il faut que vous m'aidiez! Il faut que vous leur fassiez voir la vérité!

Keisha avait un très mauvais pressentiment. Elle prit Gail par les épaules et la regarda droit dans les yeux.

— Gail, arrêtez, arrêtez juste une seconde. Qui est votre frère?

— Wendell, répondit-elle. Wendell Garfield.

Keisha échangea un regard avec Kirk, qui se tenait à côté de Gail.

— C'est quoi, ces conneries? articula-t-il en silence.

— Bien, Gail, venez vous asseoir et racontez-moi tout ça. Vous voulez quelque chose à boire? Kirk, va lui chercher quelque chose à boire.

— Si vous aviez quelque chose de light? demanda Gail en se laissant conduire jusqu'au canapé.

— Va chercher quelque chose, dit Keisha en s'asseyant à côté de Gail, genou contre genou. Elle lui massait les épaules pour la réconforter: Ça va aller.

Il faut juste que vous me disiez ce qui s'est passé, mais lentement, du début.

Kirk tendit à Gail une canette de Pepsi light qu'il avait déjà ouverte. Gail le regarda et demanda :

— Qu'est-ce qui est arrivé à votre visage ?

— Je me suis coupé en me rasant.

Elle hocha de la tête, puis répondit à la question de Keisha.

— Il y a quelques jours de ça, Ellie, la femme de Wendell, a disparu.

— J'ai vu quelque chose aux infos à ce sujet, dit Keisha.

— Ils ont donné une conférence de presse, hier. Wendell et Melissa. Oh, mon Dieu !

Elle posa la canette de Pepsi sur la table et se couvrit les yeux avec les mains.

— Tout ça est tellement incroyable ! Pourquoi auraient-ils donné une conférence de presse si Melissa était mêlée à ça ?

— Gail, qu'est-ce que vous êtes en train de me dire ? Que c'est sa fille qui l'a tuée ?

Dès qu'elle eut prononcé cette phrase, Keisha se rendit compte qu'on pouvait l'interpréter d'une certaine façon ; qu'elle était surprise que Wendell ne soit pas le responsable. Il fallait qu'elle ajuste sa pensée, qu'elle paraisse surprise par tout ce qu'elle était sur le point d'entendre, écouter et réagir sans idée préconçue.

En fait, elle n'eut pas beaucoup d'effort à faire.

— C'est ce qu'ils racontent, répondit Gail en secouant la tête. Que c'est Melissa qui a tué sa mère.

Keisha tâcha de comprendre. Si Melissa avait tué Ellie Garfield, pourquoi le mari avait-il essayé de l'étrangler ? Il devait être impliqué, ou du moins, avoir aidé sa fille à maquiller le meurtre après coup.

— Et qu'est-ce qui est arrivé à Wendell, exactement ? demanda Keisha. Où l'ont-ils trouvé ?

— Chez lui. Je ne connais pas vraiment tous les détails. Mais tout ça ne rime à rien. Que Melissa tue sa mère, que quelqu'un tue Wendell. C'est de la folie.

Keisha prit Gail dans ses bras.

— Ma pauvre. C'est tellement affreux pour vous.

Tandis qu'elle l'enlaçait, Keisha réfléchit à toute vitesse. Une fois que Kirk se serait enfin débarrassé des vêtements tachés de sang, la seule chose qui la relierait à Garfield serait la carte de visite que la police ne manquerait pas de trouver. Elle s'était persuadée de pouvoir justifier cela en disant qu'il y avait des centaines d'endroits où Garfield aurait pu se procurer une de ses cartes.

Mais à présent, un lien irréfutable existait entre elle et le mort.

Sa sœur. Qui se trouvait justement être une de ses clientes.

Pas bon, pas bon du tout mais il y avait peut-être un coup à jouer.

— Parlez-moi de votre frère, poursuivit Keisha. Il était plus âgé, plus jeune que vous ?

— C'était mon petit frère, dit-elle avant de sangloter de plus belle.

— J'y pense… vous ne m'avez pas parlé de lui au cours d'une séance ?

211

Gail fit oui de la tête, saisit deux ou trois mouchoirs en papier dans la boîte posée sur la table et se moucha. Puis elle répondit :

— C'est exact. Je lui ai dit plusieurs fois que je venais vous voir, que vous m'aidiez à me connecter à mes vies antérieures.

— Qu'est-ce qu'il en pensait ?

— Oh, il était très dédaigneux, mais pas plus que mon mari. Jerry pense que je suis complètement cinglée, dit-elle en arrivant à émettre un petit rire. Peut-être que je le suis.

— Non, pas du tout, assura Keisha. Tout le monde a ses croyances. Ce sont des stratégies d'adaptation. Elles nous aident à faire face au monde extérieur. Wendell était-il confronté à beaucoup de choses ? Des choses difficiles ?

— Ah, ça ! oui. Melissa a été une source de stress constante pour lui et Ellie. Elle… oh, je n'arrive pas à croire qu'Ellie soit morte, elle aussi. Melissa a quitté la maison à seize ans, a vécu toute seule, puis a rencontré cet homme qui l'a mise enceinte. Ellie et Wendell se faisaient un sang d'encre à son sujet.

— Avez-vous essayé de les conseiller ? De leur faire des suggestions ? Je veux dire, vous êtes la tante de Melissa. J'imagine que vous avez voulu leur venir en aide, dans la mesure du possible.

— Bien sûr, bien sûr, j'ai essayé.

— C'est pour ça que vous avez pris ma carte ? tenta Keisha. Pour la donner à votre frère et à sa femme ? Au cas où ils auraient voulu me consulter ? Parce que, vu ce que vous avez dit sur lui, je doute qu'il m'aurait contactée de lui-même.

Gail se dégagea soudain des bras de Keisha.

— J'ai fait ça ?

— Vous ne vous rappelez pas ?

Gail cligna des yeux.

— Je ne me… Je ne suis pas sûre.

— C'était il y a un certain temps. Vous savez, cette période où vous croyiez canaliser Amelia Earhart[1] ?

— C'était il y a deux ans, confirma Gail.

— Je pense que c'est pendant que vous parliez en tant qu'Amelia que vous m'avez demandé une carte. Vous disiez connaître quelqu'un à qui je pourrais venir en aide.

Gail essayait toujours de se rappeler.

— C'est possible. Je crois me souvenir. Peut-être que je pensais la donner à Ellie. Elle n'aurait sans doute pas plus cru à ce que vous faites que Wendell, mais au moins elle n'était pas totalement fermée.

La tournure que prenait la conversation plaisait à Keisha. Gail, comme tant de ses fidèles, était très influençable.

— Alors vous avez dû la donner à votre frère ou à votre belle-sœur à un moment ou à un autre, ou bien l'un des deux a vu la carte chez vous et l'aura prise.

Keisha agita la main comme si cela était égal.

— Mais ce qu'il faut que je sache, c'est ce que je peux faire pour vous, là, maintenant ? Comment puis-je vous aider à traverser cette épreuve ?

— Je savais que je pouvais compter sur vous. J'ai essayé de joindre Jerry mais je suis tombée sur sa messagerie, et, à vrai dire, je n'avais pas vraiment

---

1. Aviatrice américaine, célèbre pour avoir été la première femme à traverser l'Atlantique à la fin des années vingt. (*N.d.T.*)

envie de lui parler. Il n'a jamais répondu présent comme vous l'avez fait.

Pour cinquante dollars de l'heure.

Keisha la serra à nouveau dans ses bras.

— Je veux juste que vous sachiez que je serai là, chaque fois que vous aurez besoin de me parler.

Gail sourit et se tamponna encore les yeux.

— Il y a bien quelque chose. Et je serais certainement prête à vous payer pour votre temps, plus que votre tarif habituel.

— Eh bien, Gail, reprit Keisha avec hésitation, comme je l'ai dit, chaque fois que vous voudrez me parler…

— Non, j'ai besoin de vous pour plus que ça. Voyez-vous, Keisha, la police ne sait pas ce qu'elle fait. Ils ont mis Melissa en garde à vue pour un crime qu'elle n'a pas pu commettre. Et s'ils se sont totalement trompés là-dessus, je sais qu'ils vont aussi totalement embrouiller l'enquête sur la mort de mon frère.

— Je ne sais vraiment pas ce que je pourrais…

— Je veux que vous m'aidiez à trouver qui a tué Wendell, et ce qui est vraiment arrivé à Ellie.

— Gail, je ne suis pas détective, protesta Keisha.

— Je sais! Ce qui fait de vous la personne idéale pour me venir en aide. Vous voyez des choses que personne d'autre ne voit. Je vous parie… Je vous parie que si vous venez avec moi chez mon frère, vous serez capable de dire ce qui est arrivé. Souvenez-vous de cette histoire que vous m'aviez racontée, à propos de cette petite fille qui avait été enlevée et qui se trouvait chez le voisin, avec tous les trophées sportifs autour d'elle? Vous avez élucidé cette affaire ! Si vous n'aviez pas eu cette vision, cette enfant serait morte à présent. Vous me l'avez dit vous-même.

Keisha se détacha de Gail Beaudry et se leva.

— Il se pourrait que j'aie un tout petit peu enjolivé cette histoire.

Gail lui donna une tape sur la main.

— Vous êtes trop modeste. Je sais ce dont vous êtes capable.

— Mais je ne crois vraiment pas que je pourrais vous être utile dans le cas présent. Je veux dire, la police refusera que je mette mon nez là-dedans. Ils ont une dent contre les médiums et les voyants. Ils nous prennent pour des fous.

Gail se leva avec une attitude de défi.

— Je m'en fiche de ce qu'ils disent. Si vous travaillez pour moi, ils ne pourront rien y faire.

Keisha regarda Kirk. Elle n'arrivait pas à déchiffrer l'expression de son visage. Peut-être qu'il était trop abasourdi pour manifester quoi que ce soit.

Tout ce que Keisha savait, c'était qu'elle ne pouvait pas retourner dans cette maison.

Elle croyait avoir réussi à instiller dans la tête de Gail la façon dont cette carte de visite y avait pénétré, et qui convaincrait la police.

Sauf qu'il était évident, d'après ce que Gail venait de lui confier, que Garfield savait ce qui était arrivé à sa femme. Sa fille l'avait tuée, et il l'avait aidée à brouiller les pistes. Alors pourquoi aurait-il eu besoin des services d'une voyante ?

Melissa et lui avaient pourtant donné une conférence de presse pour obtenir des informations du public alors qu'ils n'en avaient en réalité pas besoin.

N'était-il donc pas plausible que Garfield puisse engager un médium pour continuer à faire croire qu'il ignorait ce qui était arrivé à sa...

— Je vous paierai cinq mille dollars, dit Gail.

— Quoi ?

— Je vous paierai cinq mille dollars pour m'aider dans cette affaire, pour découvrir la vérité.

— Je ne sais pas, Gail. Je...

— Elle le fera, trancha Kirk.

25

— Je peux te parler une seconde ? demanda Keisha
à Kirk, en l'entraînant dans la cuisine pendant que
Gail Beaudry restait au salon.

— Tu es dingue ? chuchota-t-elle quand ils furent
hors de portée de voix.

— Cinq mille dollars.

— Je ne veux pas retourner dans cette maison.
Plus jamais.

— Bien sûr que si, assura-t-il. Autant tirer quelque
chose de cette journée merdique.

Kirk ignorait qu'elle avait en fait obtenu du cash
de Garfield avant que les choses déraillent. Mais
même s'il avait été au courant, il aurait quand même
voulu qu'elle y aille. Cinq mille dollars, c'était beaucoup d'argent.

— C'est mal, dit Keisha. Tu ne vois rien à redire au
fait de prendre l'argent de cette femme pour l'aider
à trouver qui a tué son frère ? Tu ne vois rien d'un
peu bizarre là-dedans ?

Kirk eut un haussement d'épaules.

— Et alors ? Comme si tu n'avais jamais fait
semblant ?

— Je ne peux pas faire ça. Je…

— Est-ce que tout va bien ? demanda Gail, qui se tenait dans l'embrasure de la porte.

— Oui, répondit Kirk. Keisha disait juste que ça l'embêtait beaucoup de vous demander ça dans un moment pareil, mais elle a besoin d'être payée d'avance, en liquide.

Gail écarquilla les yeux un instant, mais proposa :

— On peut s'arrêter à la banque en allant chez mon frère. Ça vous irait ?

— Ce serait parfait, acquiesça Kirk.

Keisha fit un effort pour se concentrer. Elle s'adressa à Gail :

— Pourquoi n'attendez-vous pas dans la voiture, j'arrive tout de suite.

— La petite dame doit être blindée, commenta Kirk une fois la porte fermée. Je parie que tu peux lui soutirer davantage. D'où est-ce qu'elle sort tout ce pognon ?

Keisha secoua la tête, comme si ce n'était pas sa préoccupation première, mais elle dit :

— Son mari est dans l'immobilier et elle a hérité d'une fortune à la mort de ses parents. Je me fous de savoir si elle est mariée à Bill Gates, je ne lui extorquerai pas plus de cinq mille dollars.

Kirk lui jeta un regard désapprobateur.

— Et toi, continua-t-elle, tu dois retourner là-bas et trouver ce qui est arrivé à ce sac.

— Ça va, j'ai compris.

Keisha jeta un coup d'œil à l'horloge murale.

— Je ne sais pas combien de temps je vais rester avec elle. Tu devras être là quand Matthew rentrera à la maison.

— Pourquoi ? Il a sa clé. Depuis quand je suis…

—Et si la police débarquait? Je n'ai pas envie qu'il rentre à la maison et qu'il trouve un flic devant la porte. Il sera mort de peur, pensera qu'il m'est arrivé quelque chose.

—Très bien, soupira Kirk. Je serai là. Mais tu es vraiment en train d'en faire un fils à sa maman.

Keisha monta dans la Jaguar de Gail Beaudry. Cette dernière parla sans discontinuer jusqu'à sa banque, située sur la place principale de Milford.

—J'ignore pourquoi ils ont mis Melissa en garde à vue ni pourquoi ils pensent qu'elle a quelque chose à voir là-dedans. Ils disent qu'elle a avoué, mais c'est ridicule. Pourquoi une fille tuerait sa propre mère? C'est absolument inconcevable. Je ne comprends pas comment une chose pareille pourrait arriver. Peut-être que si c'était un accident, qu'elle l'avait renversée en reculant avec sa voiture, sans savoir qu'elle était là, mais le faire de manière délibérée? Ça défie l'entendement. Je sais bien que cette fille a causé des soucis sans fin à sa mère, mais au fond, elle l'aimait beaucoup. Ça, j'en suis sûre.

Keisha se demanda si elle n'allait pas vomir à nouveau. D'une seconde à l'autre, elle serait peut-être obligée de demander à Gail de se ranger sur le bas-côté.

Depuis qu'elle avait tué Garfield, elle avait employé toute son énergie à brouiller les pistes. Revenir récupérer la boucle d'oreille, se débarrasser de ses vêtements (un problème qui, elle l'espérait, serait bientôt résolu), rester sous la douche jusqu'à ce que l'eau devienne froide, demander à Kirk de laver sa voiture. Et après un premier mouvement

219

de panique au sujet de sa carte de visite, elle avait eu l'idée d'une solution qui impliquait Gail et qui, pensait-elle, pourrait tenir la route.

Pourtant, après tous ces efforts pour prendre ses distances avec elle, elle serait bientôt de retour sur la scène du crime.

— Je vous parie que la police a collé Melissa dans une pièce et qu'ils l'ont bombardée de questions et que c'est comme ça qu'ils lui ont fait avouer quelque chose qu'elle n'a jamais commis, poursuivit Gail. C'est comme ça que la police s'y prend. On pense que ce genre de chose n'arrive qu'en Russie, en Chine ou dans les pays d'Amérique latine, mais ça se passe ici même, dans cette bonne vieille Amérique, il ne faut pas se faire d'illusions. La police veut juste clore des affaires. Ils ne se soucient pas de savoir s'ils ont mis la main sur la bonne personne ou non. Et je ne sais même pas ce qui est arrivé à Ellie. S'ils inculpent Melissa, que pensent-ils qu'elle a fait à sa mère, au juste ? Et quel est le rapport avec Wendell ? Je vous le dis…

— Arrêtez, s'il vous plaît, coupa Keisha.

— Pardon ?

— J'ai… J'ai besoin de me concentrer.

— Bien sûr, bien sûr. Je suis désolée. On est arrivées de toute façon. Je vais chercher votre argent.

Laissant le moteur tourner, Gail descendit de voiture et entra dans l'agence.

Prends la voiture et sauve-toi, pensa Keisha. *Ou laisse la voiture, mais sauve-toi quand même.*

Mais où irait-elle ? Jusqu'où pourrait-elle aller ? Combien de temps faudrait-il à la police pour la rattraper ? Et si elle n'était déjà pas suspecte, cette fuite ne changerait-elle pas la donne ? Et comment pouvait-elle même songer à abandonner Matthew ?

Elle ne ferait jamais ça. Keisha savait qu'elle avait beaucoup de défauts mais elle n'était pas le genre de mère à abandonner son enfant.

Je pourrais l'emmener avec moi.

Tu parles d'un plan. Partir en cavale avec un gamin. Keisha s'exhorta à arrêter son délire. Elle était engluée dans cette affaire jusqu'au cou à présent, et elle allait devoir voir comment les choses allaient tourner.

Gail revint cinq minutes plus tard, serrant fort une enveloppe blanche ordinaire, de celles qu'on utilisait pour les dépôts d'espèces aux distributeurs automatiques. Elle monta dans la voiture et remit l'enveloppe à Keisha.

— Tenez, dit-elle en attachant sa ceinture. Heureusement que j'ai mon propre compte, Jerry ferait une crise cardiaque s'il apprenait ce que je viens de faire.

— Merci, dit Keisha en mettant l'enveloppe dans son sac.

Elle avait dû prendre un de ses autres sacs au moment de partir et y jeter son portefeuille.

— Vous ne voulez pas compter ?

— Je vous fais confiance.

Ce qui fit sourire Gail Beaudry. Elle toucha le bras de Keisha.

— Moi aussi, je vous fais confiance. Je veux vous remercier pour votre aide.

Keisha fut incapable de la regarder.

— Allons chez Wendell à présent, voir si un des policiers présents sur place nous dira ce qui se passe.

Peut-être que quand nous nous approcherons, vous commencerez à capter certains signaux.

Elles virent les voitures de police dès que Gail tourna dans la rue. On avait utilisé des véhicules de patrouille pour bloquer la rue dans les deux sens à environ trente mètres de part et d'autre de la maison. Gail gara la Jaguar le long du trottoir.

— Attention où vous mettez les pieds, dit-elle. Ça a l'air glissant ici.

Elles contournèrent la voiture par l'avant et s'approchèrent ensemble de la maison. Comme elles commençaient à gravir l'allée, une policière en tenue se porta à leur rencontre.

— Je peux vous aider ? demanda-t-elle.

— Je suis Mme Beaudry, et voici mon associée. Nous aimerions parler à la personne responsable. Est-ce vous ?

— Non, madame. Qu'est-ce qui vous amène ?

— C'est la maison de mon frère. Wendell Garfield. L'homme qui a été tué.

La policière hocha la tête.

— Si vous voulez bien attendre ici, je vais voir ce que je peux faire.

Keisha la regarda entrer dans la maison et fermer la porte.

Je ne veux pas y aller.

Gail se tenait les bras croisés. Au bout de deux minutes, elle dit :

— C'est leur façon de procéder. Ils vous font attendre pour vous décourager. Ça fait partie de leur stratégie.

Keisha pensa que si quelqu'un jouait, c'était elle.

La policière ressortit de la maison pour leur dire qu'elle avait eu l'inspecteur chargé de l'affaire, et que celui-ci serait bientôt là.

— Ce ne serait pas cette femme noire ? demanda Gail. Wedmore ?

— En effet.

— Très bien, mais on ne pourrait pas attendre à l'intérieur, au chaud ?

— Je regrette, mais vous ne pouvez pas entrer sans l'accord de l'inspecteur Wedmore.

— On sera dans la voiture, alors, précisa Gail, et les deux femmes tournèrent les talons.

Alors qu'elles étaient sur le point d'ouvrir les portières, une voiture banalisée s'arrêta et Rona Wedmore en descendit. Elle reconnut la sœur de la victime pour l'avoir rencontrée au poste.

— Bonjour, madame Beaudry.

— Je veux des réponses, exigea Gail. Je veux des réponses tout de suite.

Wedmore jeta un coup d'œil à Keisha, puis regarda à nouveau Gail.

— Qu'est-ce que vous voudriez savoir ?

— Qu'est-ce qui est arrivé à mon frère ?

Le regard de Wedmore se porta à nouveau sur Keisha.

— Qui êtes-vous ?

— Je suis Keisha Ceylon.

La commissure des lèvres de l'inspecteur se retroussa.

— Je viens justement de m'entretenir avec quelqu'un qui vous connaît.

26

—Je vous demande pardon ? s'étonna Keisha.

—Terry Archer, précisa Wedmore en la gratifiant d'un regard complice. Vous avez offert de l'aider lui et sa femme il y a quelques années.

—Je me rappelle, dit Keisha. Si M. Archer prétend qu'il me connaît, c'est faux. Nous nous sommes rencontrés deux fois, très brièvement.

—Soit. Mais vous lui aviez fait une forte impression.

Ne sois pas évasive, pensa Keisha. *Ne sois pas sur la défensive. Attaque de front.*

—Je n'en doute pas. J'ai offert de les aider lui et sa femme quand ils avaient leurs problèmes et ils ont choisi de ne pas m'engager. M. Archer, en particulier, était très sceptique quant à mes dons. Ma seule intention était de les aider.

Wedmore hocha la tête. Avant qu'elle ait pu répliquer, Gail intervint :

—J'ai engagé Mme Ceylon pour qu'elle m'aide, moi. Il est évident que vous la connaissez déjà, mais si vous pensez qu'elle est ici pour vous aider, ce n'est pas le cas. Elle représente *mes* intérêts. Vous autres, tout ce qui vous intéresse, c'est de faire en sorte que quelqu'un soit inculpé, que ce soit la bonne personne ou pas. Savez-vous qui a fait ça à mon frère?

—Nous en sommes au premier stade de l'enquête, expliqua Wedmore avec patience.

—Melissa est toujours en garde à vue?

—En effet.

—C'est ridicule. Vous devez la relâcher. Imaginez ce qu'elle subit. Perdre sa mère, et ensuite son père, en quelques jours. Et insinuer qu'elle a avoué! Qu'est-ce qu'elle pourrait bien avouer? Et où est Ellie? Qu'est-il arrivé à son corps? Êtes-vous en train de me dire que Melissa a fait disparaître le corps de sa mère?

—Nous pouvons arranger une rencontre entre Melissa et vous, suggéra Wedmore d'une voix lasse. À première vue, vous êtes la seule famille qui lui reste. Elle a renoncé au droit d'être représentée par un avocat, mais vous devriez l'inciter à revenir sur sa décision afin qu'elle bénéficie des meilleurs conseils possibles à mesure qu'évoluera cette affaire. Certaines circonstances atténuantes pourraient influer sur la condamnation. Vous voudrez peut-être…

—Dieu du ciel, qu'est-ce qu'elle a bien pu vous raconter?

Wedmore soupira.

—Melissa a poignardé sa mère, a appelé son père, et il l'a aidée à maquiller le crime. Ils ont poussé la voiture sur un lac gelé et attendu qu'elle passe à travers la glace.

Ouah, pensa Keisha. *Peut-être que je* peux *vraiment faire ça.*

Comme Gail était sans voix, Wedmore ajouta :

— Ce qu'on essaie de comprendre à présent, c'est quel genre de lien il peut y avoir entre la mort d'Ellie et ce qui est arrivé à votre frère.

— Le corps de mon frère est-il encore dans la maison ? parvint à demander Gail.

— Non. Le légiste pratique une autopsie.

— Mme Ceylon veut entrer.

— Pardon ? fit Wedmore.

— Non, protesta Keisha. Ce n'est pas néce…

— Elle a besoin d'aller à l'intérieur voir ce qu'elle peut ressentir, expliqua Gail.

Elle regarda Keisha et ajouta :

— Je parie que plus tôt vous entrerez, mieux ce sera, non ? Les vibrations, enfin ces choses que vous ressentez, seront encore fraîches ?

— Il se peut qu'il soit déjà trop tard, avertit Keisha.

Gail la saisit par le bras et l'implora du regard.

— Je sais que c'est beaucoup demander, mais je ne peux pas. Je ne peux pas entrer. Je veux que vous soyez mes yeux. Je veux que vous voyiez l'endroit où ça s'est déroulé. Ça ne vous aidera pas ? Ça ne vous aidera pas à visualiser, de vous connecter, de sentir ce qui s'est passé ?

— Si vous pouviez juste trouver un objet appartenant à votre frère. Peut-être avez-vous une lettre de lui chez vous.

Gail continuait à lui presser le bras.

— J'ai vraiment besoin que vous fassiez ça.

Elle se tourna vers Wedmore, suppliante.

— Vous la laisserez voir le lieu du crime ?

L'inspecteur réfléchit un moment.

226

— Normalement, je dirais non, mais je pense que ce serait peut-être une bonne idée que Mme Ceylon entre pour jeter un coup d'œil.

Keisha fut décontenancée. Elle n'imaginait pas Wedmore entrer dans ce jeu à moins d'y avoir un intérêt quelconque.

— Je comprendrais parfaitement que vous préféreriez que je reste dehors et…

— Allons-y, coupa Wedmore. Madame Beaudry, pourquoi n'attendez-vous pas au chaud dans votre voiture pendant ce temps?

— Très bien, dit-elle, alors que Wedmore posait doucement la main sur le dos de Keisha et la poussait tranquillement vers la maison.

Elle retira sa main chemin faisant.

— Comment êtes-vous entrées en contact, Mme Beaudry et vous?

— C'est une de mes clientes, répondit Keisha. Cela fait maintenant quelques années qu'elle me consulte.

— Quel genre de consultations?

— Il faudra le lui demander.

— Ah, oui, la déontologie de la profession, c'est ça?

Keisha lança à Wedmore un regard noir.

— C'est pour cela que je ne vais pas voir la police quand j'ai des informations au sujet d'un crime.

— Des informations? Qu'entendez-vous par informations?

— Des choses me viennent, inspecteur. Des visions, des images, comme les pièces d'un puzzle. Mais je n'attends pas de vous que vous me croyiez, pas plus que les Archer.

— Quand on sera dans la maison, vous ne touchez à rien. Et on ne fera que mettre un pied à l'intérieur. Vous pourrez voir le salon depuis la porte d'entrée.

— C'est là que ça s'est passé ? demanda Keisha.

Wedmore la regarda et sourit.

— Oui, c'est là que ça s'est passé.

La policière à qui Keisha et Gail avaient parlé se tenait devant la porte, elle fit un pas de côté pour les laisser entrer.

Keisha se prépara mentalement à feindre la surprise mais cela se révéla parfaitement superflu.

Ce qu'elle vit dans le salon l'horrifia.

Une énorme flaque rouge sombre avait détrempé la moquette. Elle était concentrée dans une zone, mais des taches rouges étaient disséminées entre l'endroit où s'était trouvé le corps et la porte.

— Mon Dieu, dit Keisha, qui resta les yeux rivés sur la scène pendant plusieurs secondes avant de détourner le regard : C'est horrible.

— En effet, acquiesça Wedmore. C'est plutôt moche.

— On peut y aller maintenant ?

— Attendons une seconde. Donnez à votre sixième sens le temps de détecter quelque chose, de découvrir le coupable.

Keisha lui décocha un regard, et se détourna du salon.

— Ça ne marche pas comme ça. Je ne peux pas juste dire, oh, c'était un homme, un mètre quatre-vingt-sept, costaud, avec une barbe fournie et un manteau sombre, conduisant une Mustang rouge immatriculée 459J87.

— C'est une vision que vous venez d'avoir ?

228

— Non! J'essaie de me faire comprendre.

— D'accord, d'accord. Mais il serait peut-être utile que vous regardiez dans la pièce encore une fois. Il y a certaines choses sur lesquelles je voudrais attirer votre attention.

— Comme quoi?

— Reprenez-vous et regardez.

Keisha fit ce qu'on lui demandait, s'arma de courage, et se retourna.

— Quelles choses?

— Vous voyez le peignoir rose, là-bas?

— Oui.

— Et si vous regardez là, vous verrez la ceinture du peignoir. Rose, elle aussi.

— D'accord.

— Alors pourquoi la ceinture n'est pas dans les passants du peignoir, à votre avis?

Keisha résista à l'envie de se toucher le cou.

— Je n'en sais rien. Et vous?

— Moi non plus. Mais j'ai une petite idée. Je me demande s'il n'y a pas eu tentative de strangulation.

— Vraiment.

— Oui. J'y ai bien réfléchi. Vous voyez, je ne pense pas que quelqu'un soit venu avec l'intention de tuer M. Garfield. Je veux dire, si on était venu ici avec l'intention de l'assassiner, on aurait apporté autre chose qu'une aiguille à tricoter, vous ne pensez pas?

— Une aiguille à tricoter? Il a été tué avec une aiguille à tricoter?

Wedmore opina.

— C'est exact. Si vous étiez venue ici avec l'intention de le tuer, vous auriez apporté une arme à feu, ou bien un couteau, voire une batte de base-ball. N'est-ce pas ?

—Je n'en sais rien, répondit Keisha.

—Le tuer avec une aiguille à tricoter, ça me donne à penser que l'auteur a agi de façon impulsive, que l'aiguille est le premier objet qui lui est tombé sous la main.

—Vous avez peut-être raison, je n'en ai franchement pas la moindre idée. Je dois continuer à regarder ?

Wedmore ignora la question.

—Et encore, si vous aviez dû agir, comme je l'ai dit, impulsivement, n'aurait-il pas été plus logique de le frapper ? Ou de saisir un objet lourd dans la pièce pour lui en donner un coup sur la tête ? Comme une lampe, ou un cendrier, peut-être, même si je ne pense pas que M. Garfield fumait.

—Sincèrement, je n'en ai aucune idée.

—À mon avis, l'aiguille à tricoter est un geste désespéré. Un ultime effort ou tentative. Peut-être le seul objet que la personne qui a fait ça pouvait atteindre. Je pense même que ça a pu être un geste de défense.

—De défense ?

—Ce qui nous ramène à la ceinture. Imaginez que M. Garfield était en train d'étrangler quelqu'un avec, et que cet individu se soit emparé de l'aiguille pour essayer de sauver sa peau.

—Vous savez que c'était un homme ? demanda Keisha.

—C'est une façon de parler, je pense que ç'aurait très bien pu être une femme.

La gorge de Keisha se serra, mais elle ne dit rien.

— C'est comme ça que ça s'est passé ? demanda Wedmore.

— Je ne sais pas. Je ne détecte rien de tel.

— Non, non, je ne vous parle pas d'une vision. C'est comme ça que ça s'est passé, pour vous ?

— Quoi ?

— A-t-il tenté de vous étrangler, madame Ceylon ? Quand vous êtes venue ici proposer vos services ? Pensait-il que vous saviez la vérité ?

Keisha, sidérée, regardait fixement Wedmore.

— Quoi ?

— Je me demandais si ça s'était déroulé comme ça, dit l'inspecteur innocemment.

— Je n'ai pas la moindre idée de ce dont vous parlez. Je ne suis jamais venue ici.

— Vous en êtes bien sûre ?

— Tout à fait.

— Parce que nous avons trouvé votre carte de visite. Glissée dans la poche de chemise de M. Garfield. Votre carte, madame Ceylon. Avec votre nom dessus, votre numéro de téléphone et votre site Internet. « Chercheuse d'âmes perdues », lit-on dessus.

— Vraiment ? Il avait ma carte ?

— Comment expliquez-vous cela ?

— Eh bien, assez facilement, en fait.

Wedmore haussa les sourcils.

— Allez-y.

— J'ai donné des cartes de visite dans le passé à Gail, à Mme Beaudry. Elle a dû en donner une à son frère. Vous devriez lui poser la question.

— Je le ferai.

— Et quand il a commencé à douter que vous retrouviez un jour sa femme, il est allé chercher cette carte et comptait probablement me téléphoner.

— Wendell Garfield savait ce qui était arrivé à sa femme. Il a aidé sa fille à faire disparaître son corps. Il n'avait certainement pas besoin de recourir aux services d'une voyante pour la retrouver.

— C'est aussi logique de m'appeler, moi, que de convoquer une conférence de presse, rétorqua Keisha.

Wedmore sourit.

— Oui, sauf qu'il s'agissait d'un numéro d'acteur. Une démonstration publique pour nous faire croire que sa fille et lui étaient dans le noir au sujet d'Ellie Garfield. Mais une de vos cartes, glissée dans sa chemise ? Qui essayait-il de tromper avec ça ?

Keisha ne dit rien.

— Vous savez ce que je pense ? poursuivit Wedmore. Je pense que vous êtes venue ici pour tenter la même arnaque que celle que vous aviez tentée avec les Archer. Vous avez voulu extorquer de l'argent à Garfield en échange d'informations que vous ne déteniez pas vraiment. C'est votre truc. C'est ce que vous faites. Et puis quelque chose a dérapé. Je ne sais pas quoi, exactement. Mais à la fin, il est mort, et vous avez pris la fuite.

— C'est de la folie, s'écria Keisha, qui avait l'impression que ses entrailles allaient se liquéfier. Ç'en est trop. Je m'en vais.

Au moment où elle se tournait vers la porte, Wedmore la retint par le bras.

— J'ai ma propre carte que j'aimerais vous donner. Elle la mit dans la paume de Keisha.

—Si par hasard vous changiez d'avis, appelez-moi.

—Je pense que c'est très improbable, déclara Keisha, qui dégagea brusquement son bras et quitta la maison, non sans avoir glissé la carte dans la poche de son manteau.

Elle avait fait quelques pas dans l'allée quand Wedmore l'apostropha.

—Ce col montant que vous portez, c'est l'idéal quand il fait froid comme ça, hein?

27

Kirk se dit qu'il était plus logique de prendre son pick-up. Les deux types de la pizzeria reconnaîtraient la voiture de Keisha, encore qu'il ne prévoyât pas de se garer juste à côté de la benne à ordures cette fois.

Il n'était pas débile.

Il se rappelait qu'il y avait une autre petite rangée de boutiques juste après le centre commercial abritant la pizzeria, vers le nord. Il pensait se garer là et rebrousser chemin à pied, prendre le bon sac, et rentrer fissa à la maison.

Le trajet ne dura pas plus de quinze minutes. Il engagea le pick-up dans le parking, et se rangea entre deux camionnettes. Le parking était presque plein, ce qui était une bonne chose. Kirk ne pensait pas qu'on le remarquerait s'il laissait le pick-up ici quelques minutes.

Il descendit et emprunta la ruelle, suffisamment large pour une camionnette de bonne taille, entre les deux bâtiments. Sur l'arrière, aucune clôture ne séparait les terrains, mais un fourré épais de buissons empêchait Kirk d'accéder directement à la benne derrière la pizzeria.

Il avait envisagé d'attendre la nuit tombée pour passer à l'action, mais comme il n'y avait pas un chat, il s'ouvrit un passage avec les bras à travers les broussailles en direction du terrain voisin. Il se retrouva à une douzaine de mètres de la benne. Le sac qu'il avait abandonné n'était pas sur la chaussée, et à moins que ces deux clowns aient décidé de l'emporter à l'intérieur pour l'ouvrir, il y avait de fortes chances qu'ils l'aient simplement balancé dans la benne après qu'il s'était carapaté. Qu'auraient-ils pu faire d'autre ? Est-ce qu'ils seraient assez furax pour fouiller le contenu du sac à la recherche de factures ou de reçus, espérant trouver une adresse ? Quand on bossait dans une pizzeria, est-ce qu'on était suffisamment payé pour s'emmerder à faire ce genre de truc ?

Kirk en doutait.

Cependant, même s'ils avaient jeté le sac dans la benne et n'y pensaient plus, Kirk pouvait comprendre pourquoi Keisha tenait absolument à le récupérer pour le balancer ailleurs. Si jamais on racontait aux infos que quelqu'un essayait de détruire des preuves dans le meurtre de Garfield, ces types pourraient se souvenir de sa visite, faire le rapprochement et passer un coup de fil aux flics.

Et si les poubelles n'avaient pas été ramassées à ce moment-là…

Alors, oui, Keisha avait peut-être raison parfois. Mais pas toujours. S'il n'avait pas ouvert sa gueule, elle aurait refusé l'occasion de se faire cinq mille dollars sans se fouler. Si cette bonne femme, Beaudry, avait envie de gaspiller son fric, Keisha devait en profiter. D'accord, il voyait pourquoi elle faisait un peu la dégoûtée, mais pour une somme pareille, il fallait qu'elle prenne sur elle. Elle n'avait qu'à faire ce qu'elle faisait toujours : raconter assez de conneries pour harponner le client, lui faire croire qu'il en avait pour son argent.

Du gâteau.

De son point de vue, s'il y avait quelqu'un qui prenait des risques dans cette opération, c'était lui. Ici, par ce froid de canard, recroquevillé dans les buissons, à attendre l'occasion de plonger dans un conteneur à ordures.

Kirk avait émergé du fourré et presque atteint la benne rectangulaire quand il vit la porte s'ouvrir derrière la pizzeria. Il s'accroupit et fila se cacher derrière la benne.

Il entendit la porte se refermer, mais ne savait pas si cela signifiait que quelqu'un était sorti ou était retourné à l'intérieur. Il s'approcha tout doucement du bord de la benne et risqua un regard.

C'était le second type sur lequel il était tombé, le Blanc costaud. Il se tenait là, juste devant la porte, le froid embuant sa respiration... non, en fait, il prenait une pause clope.

Comme l'homme n'avait pas de blouson sur le dos, Kirk se dit qu'il ne resterait pas bien longtemps dehors. Les gerçures passaient avant la dépendance à la nicotine, non ? Il allait prendre sa dose et retourner à l'intérieur.

Mais le type restait planté là. Puis il se tourna, regardant en direction de Kirk.

Merde.

Kirk, à quatre pattes, s'écarta de l'angle de la benne. Il ne portait pas de gants, et la fine couche de neige à moitié fondue était glacée sous ses paumes nues et trempait son jean aux genoux. Il resta accroupi dans cette position, et tâcha de retenir sa respiration embuée par le froid le plus longtemps possible.

Il entendit un sifflement. Le type de la pizzeria s'en grillait une en sifflotant. Kirk essaya de reconnaître l'air, mais il avait affaire à un siffleur médiocre qui n'était pas dans le ton, et il mit quelques secondes avant de se rendre compte que le pizzaïolo s'essayait à « The Long and Winding Road[1] ». *Ouais*, pensa Kirk. *J'ai l'impression d'être dessus. C'est une putain de journée de dingue et je n'arrive pas à en voir le bout.*

Le sifflement faiblit. Comme si l'homme regagnait tranquillement le bâtiment. Puis Kirk entendit la porte s'ouvrir, et, une demi-seconde plus tard, se fermer en claquant.

Il s'approcha à quatre pattes du bord du conteneur et jeta un coup d'œil à la ronde. Il n'y avait personne.

Il se demanda si le pote du grand type fumait aussi, et, dans ce cas, s'ils prenaient leur pause cigarette à tour de rôle. Ce qui signifierait que l'autre était susceptible de passer cette porte d'une seconde à l'autre.

Kirk devait faire vite.

Il se mit debout et contourna la benne par l'avant. Il souleva le couvercle avec la main gauche, puis pencha la tête par-dessus le bord. Ses yeux se posèrent aussitôt sur un sac-poubelle fermé avec

---

1. « Cette longue route sinueuse » est une chanson des Beatles. *(N.d.T.)*

un lien rouge. Il plongea sa main libre à l'intérieur, attrapa le haut du sac et, fermant le poing, l'enroula autour de son poignet.

Il sortit le sac, laissa le couvercle retomber doucement, retraversa furtivement les buissons en veillant à ne pas accrocher le plastique aux épines, et regagna son pick-up en moins d'une minute.

L'extérieur du sac était moins propre qu'il ne l'était quand il avait quitté la maison de Keisha. Des morceaux de pizza, du soda, toutes sortes de cochonneries collantes. Il n'allait certainement pas le mettre devant avec lui. Même l'idée de le déposer sur le plateau le faisait tiquer, mais il ne pouvait pas vraiment faire autrement.

Il monta dans le véhicule, mit le contact, et son regard tomba sur la pendule du tableau de bord. Presque trois heures et demie.

Bon Dieu de bordel. Le p'tit con pouvait être rentré dans dix minutes, s'il ne s'arrêtait pas chez un copain ou ne se faisait pas dérouiller en chemin. Kirk estimait que le gosse pouvait se débrouiller sans lui, mais il supposait que Keisha avait ses raisons. S'il rentrait à la maison et si la police était là, et pas sa maman, il se mettrait probablement à chialer comme un veau. Mais il y avait de grandes chances que les flics ne soient pas là. S'ils passaient et qu'il n'y avait personne, ils s'en iraient et reviendraient plus tard. Kirk décida qu'il passerait prendre le gamin, proposerait de l'emmener manger au Post Mall, et jetterait le sac là-bas dans une des poubelles.

Il sortit en marche arrière de la place de stationnement, mit le pick-up en prise, et manqua couper la route d'une femme au volant d'un SUV Lexus au

moment où il s'engagea sur la route dans un crisse-
ment de pneus.

Environ huit cents mètres plus loin, il leva les
yeux vers le rétroviseur pour jeter un coup d'œil sur
la circulation, mais aussi sur le sac.

Qu'il ne vit pas.

— Bon Dieu ! cria-t-il. C'est pas vrai ! Putain, c'est
pas vrai !

Il se rangea sur le bas-côté et freina à mort. Il
sauta de la cabine et regarda dans le plateau, le cœur
battant à tout rompre.

Le sac était là. Il avait glissé vers l'avant, juste
sous la lunette de la cabine.

Kirk ferma les yeux un instant, poussa un soupir
de soulagement, se remit au volant et poursuivit sa
route.

28

Gail Beaudry descendit de sa Jaguar alors que Keisha approchait.

— Qu'avez-vous vu ? Vous savez qui a fait ça ? Que s'est-il passé ?

Keisha lui fit signe de remonter dans la voiture. Elle passa du côté passager et monta à son tour.

Elle tremblait.

— Qu'y a-t-il ? s'enquit Gail. Vous avez une mine épouvantable. Vous avez vu quelque chose ? Je veux dire, dans votre tête, vous avez vu ce qui s'est passé ?

— S'il vous plaît, Gail, j'ai besoin d'un moment, demanda Keisha en levant la main.

— Bien sûr, bien sûr, je comprends tout à fait. Je sais que les choses que vous voyez, vous ne pouvez pas les allumer et les éteindre comme si c'était un DVD ou…

— Fermez-la ! explosa Keisha. Taisez-vous juste une minute.

Gail eut un tel mouvement de recul que sans la portière, elle serait tombée de son siège. Elle était bouche bée. Et éclata en sanglots.

— Gail, dit Keisha, qui soudain s'en voulut.

Keisha laissa Gail sangloter une bonne trentaine de secondes avant de rajouter :

—Vraiment, je suis désolée. C'était juste… tellement horrible là-dedans.

L'attitude de Gail changea du tout au tout.

—Oh, bien sûr. C'est moi qui devrais être désolée. C'est moi qui vous ai demandé d'aller là-bas. Je n'aurais pas dû. Je m'en veux terriblement.

Elle prit le bras de Keisha.

—Ça va, assura celle-ci, qui aperçut l'inspecteur Wedmore descendre l'allée des Garfield, marquer un temps d'arrêt et regarder dans leur direction.

—Vous voilà probablement traumatisée à cause de moi, insista Gail. C'était mal de ma part.

—Ça va. J'ai juste… Je suppose que je ne m'attendais pas à être affectée comme je l'ai été.

Ce à quoi Keisha ne s'attendait pas, c'était la rapidité avec laquelle Wedmore avait reconstitué les faits. Tout ça à cause de cette foutue carte de visite. Mais elle avait fourni une explication, non ?

—Avez-vous… senti quelque chose ?

Keisha baissa les yeux sur ses genoux et secoua plusieurs fois la tête.

—Pas vraiment.

—Ça vous viendra peut-être plus tard ?

Elle se tourna vers Gail, vit l'attente dans ses yeux, l'espoir.

—Il se peut que la police soit capable de régler ça avant moi, concéda-t-elle.

—Je ne leur fais pas confiance, affirma Gail. Je ne fais pas du tout confiance à la police.

Keisha vit que Wedmore marchait vers elles.

—Il y a beaucoup de gens à qui vous ne devriez pas faire confiance, dit Keisha. Pas uniquement la police.

Elle baissa les yeux sur son sac à main, posé par terre entre ses pieds.

—J'ai réfléchi aux cinq mille dollars que vous m'avez donnés, Gail. Je ne sais pas si je mérite…

—Cet inspecteur vient par ici. Qu'est-ce qu'elle veut, à votre avis ?

Keisha n'osait pas y penser.

—Je ne sais pas. Mais, Gail, à propos de cet argent, je…

—Elle ne me plaît pas. Mais alors, pas du tout. Et ce n'est pas parce qu'elle est noire. Je n'ai rien contre les Noirs. Mais vous ne pensez pas qu'il soit possible, à un certain niveau, que ça lui plaise de s'en prendre aux Blancs, qu'ils soient coupables ou non ? Une façon de régler ses comptes ?

—Je ne pense pas, répondit Keisha.

Elle ouvrit son sac et était sur le point d'en sortir l'enveloppe de billets, mais elle interrompit son geste quand elle entendit qu'on tapotait la fenêtre de Gail.

Celle-ci actionna l'ouverture électrique de la vitre.

—Oui, inspecteur ?

—Madame Beaudry, j'aimerais vous parler.

—Ce sera long ?

—Je n'en sais rien.

—Parce que je ne voudrais pas retenir Mme Ceylon. Je dois la raccompagner chez elle.

Wedmore réfléchit un instant, et fit signe à un des agents en tenue d'approcher. Puis elle passa à moitié la tête par la fenêtre ouverte.

—Madame Ceylon, cet agent va vous ramener chez vous. Je ne voudrais pas perturber votre emploi du temps.

—Ça ne fait rien, dit Keisha. Ça ne me dérange pas d'attendre Gail.

—Non, nous allons vous raccompagner, insista Wedmore avec fermeté. Madame Beaudry ?

Gail soupira, remonta la vitre et coupa le contact.

—On se parle plus tard, d'accord ? Vous aurez peut-être découvert quelque chose d'ici là ?

Non, je n'aurai rien découvert, songea Keisha. *Je veux oublier tout ça.* Elle voulait juste lui rendre son argent et ne plus jamais la revoir.

Gail descendit de voiture. Un véhicule de patrouille de la police de Milford s'arrêta. Wedmore parla au conducteur, puis regarda Keisha et attendit. À contrecœur, celle-ci passa de la Jaguar au véhicule de police, Wedmore lui tenant la portière et lui disant :

—Je passerai vous voir un peu plus tard.

Keisha sentit l'effroi l'envelopper comme un sac de couchage froid et humide.

Le pick-up de Kirk n'était pas dans l'allée quand la police déposa Keisha chez elle. Elle se hérissa. Il avait promis d'être là quand Matthew rentrerait de l'école, ce qu'il allait faire d'ici quelques minutes, à moins qu'il aille chez son copain Brendan.

La veille encore, elle se disait qu'il fallait qu'elle chasse Kirk de sa vie. Et voilà qu'en sollicitant son aide aujourd'hui, elle se retrouvait plus étroitement liée à lui. Elle n'avait plus aucune prise sur lui. Comment mettre à la porte quelqu'un qui sait que vous avez tué un homme ? Bien sûr, ils étaient impliqués tous les deux, jusqu'à un certain point. Kirk l'avait aidée à maquiller le crime, à détruire des preuves. Mais elle était sûre qu'il pourrait se présenter au poste de police de Milford et négocier un accord s'il avait l'intention de la dénoncer.

Il était donc plus qu'un complice. Il était un handicap potentiel. Comment tiendrait-il le coup lors d'un interrogatoire conduit par l'inspecteur Wedmore ? Celle-ci avait l'air d'avoir parfaitement compris ce qui s'était passé chez les Garfield. Elle en était au stade des suppositions, bien sûr, mais Keisha aussi quand elle avait raconté sa « vision » à Wendell Garfield, et pourtant, elle avait touché la vérité du doigt.

Aussi inquiète fût-elle à l'idée de se faire prendre, et de ce qui pourrait lui arriver, elle était encore plus préoccupée par ce qui arriverait à Matthew.

Si la police l'arrêtait, si elle était inculpée de meurtre, si elle échouait à persuader un jury qu'elle avait agi en état de légitime défense, et qu'on l'envoyât en prison, que deviendrait son petit garçon ?

Elle était là, maudissant sa mère d'un côté, et reproduisant le modèle que celle-ci avait établi de l'autre. Quand on élevait un enfant en vivant à la limite de la légalité, il fallait savoir qu'un jour ou l'autre ça pouvait vous sauter à la figure. Keisha n'avait cependant jamais considéré que ses crimes étaient aussi graves que ceux de sa mère. Elle ne cachait pas de cadavres et ne volait pas des chèques de retraite. Elle soutirait de l'argent aux gens, mais c'était toujours leur choix, en définitive. Les gens qu'elle escroquait devaient savoir, à un certain niveau, que l'on profitait d'eux. Ils savaient de quoi il retournait, et cela ne les dérangeait pas.

Keisha n'attendait jamais la mort de personne.

Et Caroline ? se demanda-t-elle. *Sa cousine, à San Francisco ? Recueillerait-elle Matthew, si on en arrivait là ?*

Caroline, dont la mère était la tante de Keisha, était une femme bien sous tous rapports. Elle avait un honnête boulot de concierge au Ritz-Carlton, et un mari appelé Earl, chauffeur chez Fedex. Ils avaient trois enfants. Deux filles, de douze et quinze ans, et un fils de sept ans. Des gens bien, travailleurs.

Si convenables, en fait, qu'ils n'avaient pas grand-chose à voir avec Keisha. Cette dernière était la honte de la famille, celle qui gagnait sa vie de façon obscure, celle qui s'était fait engrosser par un soldat qui avait préféré repartir en Afghanistan qu'être père.

Pourtant, Caroline avait beau traiter sa cousine de haut, elle ne s'en était jamais prise à Matthew. Même si elle ne le voyait pas souvent, elle ne manquait jamais de téléphoner à son petit-cousin pour son anniversaire, ni de lui envoyer un petit cadeau à Noël. L'année passée, elle lui avait même envoyé des œufs de Pâques en chocolat.

Matthew serait mieux chez Caroline et Earl, songea Keisha, *même si je ne me fais pas arrêter*.

Non, non, ce n'était pas vrai. Malgré tous ses défauts, Keisha pensait être une bonne mère. Elle aimait son fils plus que tout au monde, et il l'adorait. Ils resteraient ensemble aussi longtemps que cela serait possible.

Devait-elle appeler Caroline, lui raconter qu'elle avait un empêchement et qu'elle serait peut-être obligée de lui envoyer Matthew quelques jours ? Une fois qu'il serait là-bas, si la police l'arrêtait,

Caroline le garderait. Elle ferait ce qu'il faut. C'était ce genre de personne.

Alors que ces pensées se bousculaient dans sa tête, elle ouvrit la porte d'entrée de sa maison et entra dans le salon. Vit la bière entamée et le Twinkie à moitié mangé de Kirk sur la table basse.

Elle jeta un coup d'œil à la pendule. Matthew allait arriver d'une minute à l'autre.

Dehors, elle entendit claquer une portière de voiture. Quelques secondes plus tard, la porte d'entrée s'ouvrit et les yeux de Kirk se posèrent sur elle.

— Merde, je suis rentré à toute blinde pour le gosse, mais tu es déjà là. Tu n'aurais pas pu m'appeler ?

— On vient tout juste de me déposer. Tu l'as fait ? Tu l'as récupéré ?

Il sourit d'un air triomphant.

— J'ai le sac.

Elle sentit ses épaules se soulager d'un des nombreux poids qui pesaient dessus.

— Oh, merci mon Dieu. Il était toujours là ? On ne l'avait pas ouvert ?

— Toujours là, pas ouvert, confirma-t-il. Tu me prends pour un incapable ?

— D'accord, c'est bien. Merci.

— Tu as les cinq mille.

Elle hocha la tête d'un air las.

— Je les ai.

Il claqua des mains.

— En liquide, comme je lui avais dit ?

— En liquide.

— Voyons voir.

246

Du doigt, elle désigna son sac à main, qu'elle avait laissé tomber sur le canapé. Il fouilla dedans, trouva l'enveloppe et inspecta son contenu. Il passa le pouce sur le dessus des billets.

— Pas mal. Tu les as comptés ?

— Gail ne m'escroquerait pas.

— On devrait sortir dîner et fêter ça, suggéra Kirk.

— Je n'ai pas la tête à faire la fête.

— Allez, éclate-toi !

Keisha lui lança un regard noir.

— C'est quoi ton problème ?

— Hein ?

— Tous les trucs qui sont arrivés aujourd'hui… J'ai failli mourir ! Un homme est *mort*. Cette bonne femme de la police, Wedmore, me tourne autour, et je crois qu'elle sait ce qui s'est passé. Et toi, tu veux faire la fête ?

Il avait sorti l'argent et avait transformé les billets en un large éventail.

— Il faut que tu profites du moment présent, bébé. Et en ce moment même, on est blindés.

— J'ai failli le rendre, dit-elle doucement.

— Tu as failli quoi ?

— Le rendre. Je ne veux plus profiter des gens comme ça. Tu ne penses pas que cette journée était une sorte de message ? Hein ? Tu ne penses pas que quelqu'un est peut-être en train d'essayer de me dire quelque chose ?

Il ricana.

— Oh, c'est des conneries. Parfois les emmerdes nous tombent dessus. Et puis, le lendemain, il en tombe d'autres.

Elle secoua la tête et alla à la cuisine. Il la suivit.

—Où est-ce que tu veux aller? Le p'tit con aime la bouffe chinoise. On ira dans un endroit qui lui plaît.

—Il s'appelle Matthew.

—Allez, tu sais que je l'appelle comme ça pour déconner.

Elle s'adossa au comptoir et soupira.

—Qu'est-ce que tu en as fait, finalement? demanda-t-elle.

—De quoi?

—Du sac. Tu as fini par le jeter où?

—Oh, il est toujours dans la caisse, dit-il avec désinvolture. J'avais l'intention de m'en débarrasser dès que le gosse se pointerait. Aller au centre commercial, manger un bout, et le laisser là, à l'arrière du bâtiment.

Keisha se demanda si elle ne ferait pas mieux de se livrer à la police. Ça irait plus vite.

—Tu es sérieux?

—Je me suis dépêché de rentrer parce que tu voulais que quelqu'un soit là pour le gosse. Je pensais que tu serais pas rentrée à temps. Je vais m'en débarrasser, t'en fais pas.

—Alors le sac est là, dans l'allée?

—T'en fais pas. Je maîtrise la situation. Il est où le gosse, à propos?

—Je n'en sais rien, dit Keisha.

Elle quitta la cuisine et alla à la porte pour guetter Matthew, vit le pick-up de Kirk garé près de sa voiture.

Elle ne vit pas le sac à l'arrière.

—Kirk! cria-t-elle. Je ne vois aucun sac!

—Il y est, dit-il avec lassitude. C'est juste qu'il est planqué sous la lunette.

Alors qu'elle allait sortir pour s'en assurer, un véhicule sombre s'arrêta au bout de l'allée. Une voiture de police banalisée. Rona Wedmore en descendit, regarda la maison, vit Keisha sur le seuil, et sourit.

—Parfait, dit Keisha.

29

En passant devant le pick-up de Kirk, l'inspecteur Wedmore jeta un coup d'œil à l'intérieur du plateau, lequel était vide, à l'exception d'un sac-poubelle vert fermé avec un lien rouge. Keisha ouvrit la porte en grand alors que Wedmore gravissait les trois marches.

— Inspecteur.

— Madame Ceylon. Vous permettez ?

Keisha la fit entrer chez elle. Wedmore aperçut Kirk debout dans la pièce.

— Bonjour, je suis l'inspecteur Wedmore de la police de Milford.

La main droite de Kirk étant occupée à fourrer les cinq mille dollars dans la poche arrière de son pantalon, il tendit la gauche de façon maladroite. Wedmore l'accepta comme si elle serrait toujours les mains de la sorte.

— Hé, dit-il avec une gaieté forcée. Je m'appelle Kirk. Enchanté.

Il lui fit un grand sourire.

— Qu'est-il arrivé à votre visage ?

Il toucha sa joue griffée.

— Rien.

—J'ai eu une conversation intéressante avec Mme Beaudry, dit Rona Wedmore à Keisha. Elle a mentionné quelque chose dont je voulais vous faire part.

—Bien sûr. Vous vouliez me parler en privé ?

—Non, c'est très bien, répondit l'inspecteur, qui sourit à nouveau à Kirk, dont une main frottait encore la bosse de billets à l'arrière de son jean. Tout se ramène à la carte.

—Ma carte de visite.

—C'est exact. Elle dit…

Wedmore s'interrompit et regarda Kirk.

—Je suis désolée. Je me montre sans doute très impolie. Mme Ceylon vous a-t-elle raconté ce qui s'est passé aujourd'hui ?

—Euh, un peu, hésita-t-il. Un type s'est fait tuer ou un truc dans le genre.

—C'est cela. Wendell Garfield.

—C'est le type qui était passé à la télé pour demander qu'on l'aide à retrouver sa femme. Ouais, je vois de qui vous parlez.

—Quand nous avons trouvé M. Garfield, il avait la carte de visite de Mme Ceylon dans la poche de sa chemise.

Kirk ouvrit de grands yeux.

—Ouah, eh ben, c'est quelque chose. C'est quelque chose, pas vrai, Keisha ?

Ferme-la, pensa-t-elle. Elle aurait dû le dire tout haut.

—Peut-être qu'il pensait engager Keisha pour savoir ce qui était arrivé à sa femme, poursuivit Kirk. Elle fait ça, vous savez. Elle a ce don. Elle peut voir des trucs.

Il lui sourit et posa la main sur son épaule.

— Et elle aime aider les gens.

Ferme-la, ferme-la, ferme-la.

Wedmore tourna à nouveau son attention vers Keisha.

— Vous aviez une théorie pour expliquer comment M. Garfield était entré en possession de votre carte. Une théorie selon laquelle vous ne la lui aviez pas donnée vous-même.

— J'ignore comment il s'est procuré ma carte, confirma Keisha, mais oui, je pense effectivement qu'il a pu l'avoir par sa sœur, Gail. Puisque cela fait un moment qu'elle vient me consulter.

— D'accord, c'est ce que vous avez mentionné. Alors j'ai posé la question à Mme Beaudry. Je lui ai demandé si elle avait donné votre carte à son frère.

Keisha attendit.

— Et elle m'a répondu que c'était possible. Elle ne se rappelait pas vraiment l'avoir fait, mais elle pense qu'elle a pu la lui donner, ou à Mme Garfield.

— Eh bien, vous voyez, dit Keisha, moins soulagée qu'elle ne l'aurait voulu.

— Alors je lui ai demandé combien de vos cartes de visite il lui restait. Et elle a répondu qu'à sa connaissance, il ne lui en restait aucune. Ce qui semblerait attester que la seule de vos cartes qu'elle a peut-être jamais eue s'est retrouvée en possession de M. Garfield.

— Comme elle vous l'a dit, elle pense que c'est possible.

— Oui, en supposant qu'elle ait jamais eu cette carte. Quand la lui avez-vous donnée ?

— Eh bien, je n'en ai aucune idée. Je passe mon temps à donner des cartes. J'en avais peut-être mis quelques-unes ici, sur la table, et elle en aura pris une en partant.

Wedmore acquiesça de la tête, en regardant la table basse ornée d'une bière et d'une moitié de Twinkie.

— Je vois comment cela a pu se passer. Mais le hic, c'est qu'elle a été en mesure de me préciser quand cela s'était passé. Quand elle a eu votre carte. Elle prétend que vous le lui avez rappelé ce matin.

— Vraiment ?

— Elle a mentionné que vous avez abordé le sujet. Qu'au cours d'une séance, il y a quelque temps déjà… je crois qu'elle a dit que cela avait un rapport avec Amelia Earhart ?

— Gail est persuadée qu'elle canalise l'esprit de certaines personnalités historiques.

— Complètement barrée, commenta Kirk avec un grand sourire. Enfin, je dis ça, je dis rien.

Keisha lui lança un regard mauvais, puis déclara à Wedmore :

— Je prends toutes les croyances de mes clients très au sérieux, inspecteur, même si ce n'est pas le cas de Kirk. Je ne les tourne pas en ridicule.

— Non, bien sûr que non. Toujours est-il que Mme Beaudry m'a assuré que pendant qu'elle était en train de… canaliser ?

— Oui.

— Pendant qu'elle canalisait Amelia Earhart, elle vous aurait demandé une de vos cartes parce qu'elle croyait que cela pourrait aider quelqu'un. Et que vous lui avez rappelé cet épisode ce matin.

—Je pense… oui, je crois en effet en avoir parlé ce matin.

—Mais Mme Beaudry ne se rappelle pas l'avoir demandée, en fait.

—Il lui arrive souvent de ne pas se rappeler les discussions qu'elle a avec moi quand elle canalise une autre personne.

Wedmore hocha lentement la tête et sourit.

—C'était donc en tant qu'Amelia Earhart qu'elle vous a demandé cette carte?

Keisha soupira.

—Ce n'est pas exactement ça. Je veux dire, Gail reste Gail, même quand elle canalise quelqu'un d'autre. Si bien que je crois que c'est Gail qui a demandé cette carte. Mais il se peut qu'elle ne se souvienne pas clairement de cet épisode à cause de la confusion des personnalités à ce moment-là.

—Hum, fit Wedmore. Ne trouvez-vous pas cela intéressant?

—Très. Aider les gens à communiquer avec des vies antérieures est un travail captivant, inspecteur.

—Non, ce que je trouve intéressant, moi, fascinant même, en fait, c'est que vous ayez abordé le sujet aujourd'hui. Que vous ayez justement rappelé cet épisode à Mme Beaudry aujourd'hui. Et cela avant que je vous dise qu'on avait retrouvé votre carte sur le corps de M. Garfield. Vous ne trouvez pas ça curieux?

Un bruit se fit entendre derrière eux. Tous se retournèrent et virent Matthew, sac à dos à l'épaule, qui entrait dans la maison. Il s'arrêta en les voyant tous les deux plantés là, avec cette femme qu'il n'avait jamais vue.

—Hé, mon chéri, dit Keisha, heureuse de cette interruption.

Elle contourna Wedmore, et accueillit son fils en le serrant dans ses bras et en l'aidant à retirer son sac à dos.

—Salut… mon pote, fit Kirk.

Matthew ne lui adressa pas un seul regard pendant que sa mère retirait son gros manteau.

—Qui êtes-vous ? demanda le garçon à l'inspecteur.

—Je suis Rona Wedmore, précisa-t-elle, et Keisha lui fut reconnaissante de ne pas s'être identifiée en tant qu'officier de police. Mais cette impression fut de courte durée.

—Vous êtes flic ? demanda-t-il. C'est une voiture de flic devant, non ? Je le sais parce qu'elle a ces petits enjoliveurs et la grosse antenne à l'arrière.

—Oui, confirma-t-elle. Je suis flic.

—Cool. Elle peut faire du combien, votre voiture ?

—Je ne l'ai jamais poussée à fond, mais elle peut aller très vite.

—Vous n'avez jamais pourchassé personne avec ?

—Pas avec cette voiture. Mais du temps où j'étais en tenue, dans une voiture de police ordinaire, j'ai poursuivi quelques individus.

—Ça me plairait de faire ça.

—Oui, mais il faut vraiment faire très attention, fit remarquer Wedmore. Si la poursuite commence à devenir trop dangereuse, des innocents peuvent être blessés.

—Mon trésor, dit Keisha, pourquoi ne vas-tu pas dans ta chambre pendant qu'on finit de bavarder avec madame l'inspecteur.

— Tu dois m'aider avec mes maths.

— On pourra s'en occuper plus tard, d'accord ?

— D'accord, dit-il avant de s'en aller.

— Gentil garçon, commenta Wedmore.

— Oui, acquiesça Keisha avec une boule dans la gorge.

— Beaucoup de questions sur la voiture, mais il n'était absolument pas intéressé par la raison de ma présence ici.

— Il aime les voitures, intervint Kirk. Ça va devenir un vrai mordu, je parie. Un peu comme moi. Vous voyez ces jantes ? C'est pour mon pick-up.

Wedmore s'obstina à interroger Keisha.

— Alors, madame Ceylon, vous n'avez pas répondu à ma question.

— Je suis désolée, j'ai un peu perdu le fil, mentit-elle.

— Ne trouvez-vous pas curieux que vous vous soyez donné tant de mal pour rappeler à Mme Beaudry à quelle occasion elle vous avait demandé votre carte de visite, juste avant que je vous interroge sur le même sujet à propos de M. Garfield ?

Keisha ne souffla mot. Kirk meubla le silence :

— Je vous l'ai dit. Cette bonne femme est totalement givrée. C'est pas pour lui manquer de respect, et Keisha, elle fait de son mieux avec ces cinglés, mais enfin, vous croiriez ce que raconte quelqu'un qui se prend pour Emily Lockhart ou je sais plus qui vous avez dit ?

— Vous pensez donc que Mme Beaudry se trompe ? lui demanda Wedmore. Qu'elle n'a en fait jamais pris de carte à Mme Ceylon, et ne l'a jamais donnée à son frère?

Kirk fit une grimace comme s'il avait mal aux méninges.

— Oh, eh bien, cette partie-là, cette partie-là m'a l'air à peu près exacte.

— Mme Beaudry me paraît être une femme, comment dit-on… une femme influençable, suggéra Wedmore à Keisha. Seriez-vous d'accord avec ce jugement?

— Non… pas forcément.

— J'ai dans l'idée qu'il ne doit pas être bien difficile de lui souffler une idée. Et c'est à mon avis ce que vous avez fait avec cette carte. Vous lui avez fait croire que vous lui en aviez donné une.

— Je lui en ai donné une, rétorqua Keisha avec force. J'en suis sûre.

— Il y a deux minutes, vous n'aviez aucun souvenir de l'avoir fait.

— Vous m'avez rappelé certains événements, c'est tout. Il s'est passé beaucoup de choses. Je ne me suis toujours pas remise d'avoir été conduite dans cette maison, d'avoir vu tout ce sang.

— Oui, bien sûr, je peux comprendre combien ç'a dû être perturbant de revoir tout ça.

Keisha passa à l'offensive et lui lança avec brusquerie:

— Je vous l'ai dit, je n'avais jamais mis les pieds là-bas. C'est compris? *Jamais*. Vous pensez peut-être que cette petite carte prouve ma présence sur les lieux, mais ça ne tient pas la route. C'est du grand n'importe quoi.

— Ouais, renchérit Kirk.

Keisha le regarda à son tour, avec presque autant de colère.

— Tu n'as pas quelque chose à faire ? Une course ? Une livraison ?

Il cligna des yeux.

— Ah oui, j'oubliais !

Il adressa un hochement de tête à Wedmore.

— Je ferais bien d'y aller.

— Je vous ai bloqué le passage, dit Wedmore. Je vais sortir avec vous.

Kirk enfila son manteau, en tirant dessus, pour être sûr qu'il couvrait le renflement des billets de banque. Il fouilla dans sa poche pour vérifier qu'il avait bien ses clés.

— Bon, Keesh, je reviens très vite, d'accord ?

Il sortit, Wedmore sur ses talons. Keisha, inquiète de ce qu'il pourrait dire à l'inspecteur, mit un pied dehors, serrant ses bras contre sa poitrine pour se protéger du froid.

— Vous n'avez pas à vous inquiéter au sujet de Keisha, précisa Kirk. C'est une bonne personne.

— Je n'en doute pas, répondit Wedmore alors qu'ils approchaient du pick-up. C'est ça que vous avez à livrer ?

Elle montra du doigt le sac sur le plateau.

— Hein ? fit Kirk, la main sur la poignée de la portière.

— Le sac, là.

— C'est plus à jeter qu'à livrer. Je me débarrasse juste de quelques ordures.

— Ils ne ramassent pas les poubelles dans cette rue ? demanda Wedmore.

—Oh, si, bien sûr, mais des fois, quand on a des tas d'ordures, on a pas envie d'attendre le jour du ramassage.

—On ne peut pas parler d'un tas d'ordures, objecta Wedmore. C'est juste un sac.

—Ouais, mais on a fait du poisson, et vous savez, quand vous laissez traîner ça jusqu'au jour du ramassage, ça sent pas la rose.

—En été, oui, je peux comprendre. Mais si vous jetez ça dans la poubelle, en ce moment, ça gèlera sûrement.

Kirk haussa les épaules, se hissa sur le siège conducteur.

—Vous savez, tout le monde fait à son idée.

—Vous allez vraiment faire un aller-retour à la décharge pour ce seul sac ? Ce n'est pas un peu dingue ?

Nouveau haussement d'épaules.

—Je fais juste ce que me dit la patronne.

Keisha, qui observait la scène, sut que c'était terminé. Elle se demanda si Kirk était né aussi crétin, ou si c'était une qualité qu'il avait cultivée au fil des années.

—Et elle est où cette décharge ? interrogea Wedmore.

—Pardon ? répondit Kirk qui, manifestement, venait d'être victime d'une perte d'audition partielle.

—Je vous demandais où était la décharge ? Au cas où j'aurais des trucs à balancer chez moi. Où est-elle ?

—La décharge ? Vous demandez où elle est ?

Keisha pensa aux avocats. Elle n'en connaissait aucun. Elle ne voulait pas en choisir un au hasard

dans les Pages jaunes. Une recommandation person-
nelle serait bien utile.

— C'est ce que je voulais savoir, insista Wedmore.

— Il faut quitter la 1, tout là-haut.

— Ouvrez le sac.

— Excusez-moi, vous dites ?

— Vous m'avez entendue. Ouvrez ce sac.

— Ça va fouetter sévère, prévint-il. Vous êtes sûre
de vouloir me faire faire ça ?

— Oui.

Wedmore recula un peu pour permettre à Kirk de
descendre du pick-up. Debout le long du plateau,
il souleva le sac par le nœud rouge, et le posa sur
l'allée.

— Maman, je peux avoir quelque chose à manger ?

Keisha se retourna brusquement, vit Matthew
planté là.

— Va dans ta chambre ! cria-t-elle.

Le garçon, effrayé, partit en courant.

— Ouvrez-le, répéta Wedmore.

Le nœud étant trop serré, Kirk dut enfoncer un
doigt dans le plastique et le déchirer. Il se retourna
pour regarder Keisha et lui fit une grimace d'excuse avant d'agrandir l'ouverture. Quand le trou fut
aussi large qu'une assiette en carton, Wedmore lui
demanda de s'écarter.

Elle se pencha au-dessus du sac, jeta un coup
d'œil à l'intérieur, puis regarda Kirk.

— Je ne vois pas de poisson là-dedans.

— Ah bon ?

— Non. Je vois des tas de bouts de pizzas, mais
pas de poisson.

— J'ai dû confondre.

30

L'abruti s'était trompé de sac.

Ce devait bien être la première fois que la bêtise de Kirk payait, songea Keisha. Il aurait été préférable qu'il revienne sans aucun sac, mais quitte à en rapporter un, autant qu'il soit rempli de restes de pizzas.

Évidemment, cela signifiait que le sac de vêtements tachés de sang était toujours dans la benne derrière la pizzeria. Il finirait peut-être par être emporté le jour des poubelles sans avoir été découvert, espérait Keisha.

Quoi qu'il en soit, le sac n'était pas son plus gros souci pour l'instant. C'était cette foutue carte de visite.

Toutefois, si la carte était le seul indice pouvant attester de sa présence dans la maison des Garfield, Keisha croyait pouvoir s'en sortir. N'importe quel avocat pourvu de quelques neurones pourrait trouver une douzaine d'hypothèses pour expliquer comment elle s'était retrouvée dans la chemise du mort.

Elle s'efforça de garder son calme pendant que Wedmore, à présent équipée de gants en latex, passait le sac-poubelle au crible. Il y avait des morceaux de pizzas, des canettes de soda vides et des bouteilles d'eau vides, des triangles en carton pour les parts à emporter, des serviettes en papier.

Elle entendit Wedmore poser à Kirk d'autres questions.

— Où est-ce que vous avez bien pu amasser tout ça?

— On a fait une soirée pizza, l'autre jour.

— Ce ne sont pas les restes d'un seul dîner, fit remarquer l'inspecteur. On dirait les poubelles d'un restaurant.

— Non, ça vient d'ici, insista-t-il. Le petit…, le gosse, il a fait une pizza-party avec des copains à lui. Ils ont mis un sacré bazar. Je croyais qu'ils avaient aussi pris des bâtonnets de poisson, c'est pour ça que j'ai parlé de poisson, et pourquoi je voulais m'en débarrasser.

Keisha devinait sans peine à qui Wedmore voudrait parler ensuite : Matthew. Elle voudrait savoir quand avait eu lieu sa petite fête. Combien de copains étaient venus? Comment ils s'appelaient?

Juste au moment où elle pensait que le plus dur était passé.

Elle retourna dans la maison et frappa doucement à la porte de la chambre de Matthew avant de l'ouvrir.

Assis sur le lit, il jouait à un jeu vidéo sur sa console, et évita soigneusement de regarder sa mère quand elle entra dans la pièce.

— Je suis désolée, mon lapin, je suis désolée de t'avoir crié dessus.

— J'avais rien fait du tout.

— Je le sais bien. C'est juste que l'atmosphère a été un peu tendue ici aujourd'hui.

— Pourquoi elle est là, la dame de la police ?

Il avait enfin eu la présence d'esprit de demander.

— Un homme est mort, répondit Keisha.

— Quel homme ?

— Personne qu'on connaît, trésor. Mais bizarrement, il avait une de mes cartes de visite dans sa poche, alors la dame voulait savoir si je le connaissais.

— Qu'est-ce qui lui est arrivé, à l'homme ? Il a eu un accident, ou bien on l'a tué avec une arme ou quoi ?

Keisha se sentit plus fatiguée qu'elle ne l'avait été de toute la journée.

— Il a été… poignardé.

— Alors elle essaie de trouver qui l'a poignardé ?

Keisha s'assit au bord du lit et posa la main sur le genou de son fils.

— Oui, c'est ce qu'elle essaie de faire.

— Alors il y a un fou qui court partout en poignardant les gens ? interrogea-t-il, plus excité qu'apeuré.

— Non, rectifia Keisha, ce n'est pas un fou. Il se peut même que l'homme qui est mort soit le méchant, et que la personne qui l'a poignardé avait une raison de le faire. Elle… ou il a peut-être voulu se protéger.

— Oh, ouais, la légitime défense, quoi.

Matthew visionnait son quota de séries policières.

— C'est possible. Je peux te demander quelque chose ?

Matthew posa sa console.

— Quoi ?

— Les hivers sont plutôt froids et moches ici. Que dirais-tu d'aller passer quelque temps en Californie ?

— Tu veux dire à San Francisco ? Avec ta cousine ?

—Je ne lui ai pas encore demandé, mais oui, c'était plus ou moins ce à quoi je pensais.

—On irait quand ?

Keisha lui caressa la joue.

—Je pensais que ce serait un voyage rien que pour toi. Maintenant que tu as dix ans et tout, tu es bientôt un jeune homme. Ce serait l'occasion pour toi de prendre l'avion tout seul.

—Je ne sais pas, dit-il en secouant la tête. Je ne pense pas avoir envie d'y aller tout seul. Sauf peut-être pour un week-end.

Et pour cinq à dix ans ? se demanda Keisha.

—Je ne suis pas exactement la cousine préférée de Caroline, mais toi, elle t'adore, et elle serait très heureuse de te voir. Elle serait sans doute encore plus heureuse si je restais ici.

—Pourquoi elle ne t'aime pas ? demanda Matthew.

Keisha sourit avec tristesse.

—Je pense qu'elle m'aime bien. C'est juste que je la déçois. Parfois je me déçois un peu aussi moi-même.

—Moi, tu me déçois pas, déclara Matthew. Mais je déteste Kirk.

—Oui, je comprends ça. Écoute, on pourra parler de ça plus tard, mais tout de suite, j'ai besoin que tu files. Pourquoi ne vas-tu pas traîner avec Brendan ?

—Pourquoi je dois partir ?

—Je vais peut-être devoir encore discuter avec la dame de la police, et je ne pense pas qu'elle aime parler d'histoires de police devant des enfants.

—Ah, bon ?

—Et je veux que tu sortes par l'arrière.

— Pourquoi ?

— Elle est devant la maison, là, en train de parler à Kirk, et je ne pense pas qu'elle ait envie que tu les interrompes.

— Kirk a des ennuis ? demanda le garçon plein d'espoir.

— Je… Je ne pense pas.

Matthew se renfrogna.

— J'espérais que ce serait peut-être lui le meurtrier, qu'ils l'arrêteraient.

— Oh, mon bébé.

— Il va vivre avec nous pour toujours ?

— Matthew, je ne sais même pas de quoi sera faite l'heure qui vient.

— Tu l'aimes.

— Si j'aime Kirk ?

Il fit oui de la tête.

— Je croyais l'aimer, quand je l'ai rencontré, quand il était différent. Mais non, plus maintenant. Pourquoi ?

— J'avais peur que tu ne l'aimes plus que moi.

— Quoi ? dit-elle en l'enlaçant et en le serrant fort. Comment peux-tu dire une chose pareille ?

Elle le sentit hausser les épaules, immobilisé par son étreinte.

— Non, allez, je veux une réponse.

Elle le libéra et lui souleva le menton pour l'obliger à la regarder droit dans les yeux.

— Pourquoi dis-tu ça ?

— À cause de quelque chose que Kirk m'a dit.

— Qu'est-ce qu'il a bien pu te raconter ?

— Que je n'étais pas censé savoir, pour que je ne puisse pas en parler, surtout à toi.

— Matt, écoute-moi. Tu peux tout me dire. Tu le sais.

— C'est juste que quand tu as dit que j'irais peut-être en Californie, j'ai pensé que c'était peut-être là qu'elle était, l'école militaire.

Il avait l'air d'avoir beaucoup de mal à retenir ses larmes.

— Quelle école militaire ? Tu as dix ans, bon sang !

— Kirk a juré qu'il y en avait une pour les enfants comme moi, et que si je n'arrêtais pas de mettre du désordre ici, et de toucher ses jantes, et de traîner dans ses pattes, que tu allais m'envoyer dans cette école.

— Il a dit quoi ?

— Que si je me calmais, tu n'y penserais sans doute plus, et c'est pour ça que j'ai passé beaucoup de temps dans ma chambre pour ne pas gêner parce que je n'ai vraiment pas envie d'aller dans cette école et d'apprendre à me battre et à tuer des gens et tout.

— Quel fils de pute, dit-elle tout bas, mais sans se soucier que Matthew puisse entendre.

— Alors c'est pour ça que tu veux que j'aille voir ta cousine ?

— Regarde-moi. Si je dois t'envoyer là-bas, ce ne sera pas parce que tu as fait quelque chose de mal, ou pour que tu ailles dans une académie militaire, et ça ne voudra pas signifier que je ne t'aime plus.

— Alors il n'y a pas d'école militaire ?

— Il n'y a pas d'école militaire.

Matthew esquissa un sourire.

— Tu pleures, maman ?

— Peut-être un peu.

—Je crois que je vais pleurer, moi aussi. Mais je suis heureux.

—Écoute, fais-moi un câlin, et fiche-moi le camp d'ici, d'accord ?

Mère et fils s'étreignirent à nouveau. Puis il prit son manteau, s'esquiva par la porte de derrière, sauta par-dessus la clôture et disparut.

On frappa de nouveau à la porte.

—Je vous croyais partie, inspecteur, dit Keisha.

Elle remarqua que la voiture banalisée s'était suffisamment avancée pour permettre à Kirk de sortir son pick-up. Cependant le sac rempli de reliefs de pizzas était toujours dans l'allée.

Ils vont trouver de quelle pizzeria ça vient. Se rendre sur place, fouiller la benne.

—J'aimerais dire un mot à votre fils, annonça Wedmore.

—Matthew n'est pas là.

Wedmore sembla surprise.

—Je ne l'ai pas vu sortir de la maison.

—Il est sorti par l'arrière. Il est allé voir un copain.

—Quel copain ?

—Je ne sais pas. Il ne me l'a pas dit.

—Un des copains qu'il avait invités à sa pizza-party ?

—C'est possible.

—Et elle a eu lieu quand, cette soirée ?

—Il y a quelques jours. Hier ? Non, je crois que c'était avant-hier. Kirk est parti ?

—En effet. Il a dit qu'il avait quand même des courses à faire. Ce doit être un sacré maniaque pour vouloir aller à la décharge déposer un seul sac-poubelle contenant les restes d'une soirée pizza?

Keisha se laissa dévisager sans rien dire. Wedmore était en pleine réflexion, Keisha le voyait bien. Elle se préparait à jouer son prochain coup.

— Je vous souhaite une bonne journée, madame Ceylon, finit-elle par rajouter.

Elle sortit, prit le sac-poubelle en passant, le déposa dans le coffre de sa voiture, et s'en alla.

Keisha ferma la porte et manqua trébucher en retournant à l'intérieur. Elle entra dans la chambre de Matthew et s'effondra sur son lit. Elle enfouit son visage dans son oreiller et se roula en boule, se consolant avec l'odeur de son fils.

Kirk, ce fils de pute, songea-t-elle. Aller raconter à Matthew qu'elle allait le chasser. Elle ne pouvait qu'entrevoir les pensées qui avaient dû lui passer par la tête. Quel genre d'homme était capable d'instiller cette frayeur chez un enfant?

De toutes les choses qu'il avait faites, c'était la pire.

Elle ne pouvait pas se laisser dominer par la colère qu'elle ressentait pour cet homme. Elle devait garder la tête froide, anticiper ce que Wedmore allait faire et éventuellement trouver la parade pour se protéger.

Était-il possible que Rona Wedmore revienne avec un mandat? Peut-être accompagnée d'une équipe d'*experts*, sauf que ceux-là n'auraient pas des cheveux fabuleux et ne seraient pas habillés à la dernière mode. Ils porteraient des combinaisons blanches qui les feraient ressembler à des astronautes, et ils seraient très probablement équipés de gadgets high-tech qui révéleraient des traces de sang invisibles à l'œil nu.

Keisha espérait que Kirk et elle avaient été suffisamment consciencieux en nettoyant la maison. S'ils s'étaient débarrassés de tout le sang, elle ne devrait pas être inquiétée…

Non, il fallait se débarrasser d'autres choses.

L'argent. Elle avait gardé les billets que Garfield lui avait donnés. Derrière le papier toilette sous le lavabo de la salle de bains. Y avait-il du sang dessus ? N'était-ce pas quelque chose qu'elle avait eu l'intention de vérifier ? Avant que Gail se pointe, et qu'elle ne soit ramenée de force dans cette maison des horreurs ?

Elle fit pivoter ses jambes hors du lit, prit la direction de la salle de bains.

Le téléphone sonna.

Keisha voulut l'ignorer, mais se dit que ça pouvait être Matthew. Elle courut dans sa chambre et décrocha le vieux combiné sur l'écran duquel les numéros ne s'affichaient pas.

— Allô ?

— Keisha, c'est Gail.

— Oh, oui, Gail ?

— Cette femme inspecteur. Elle m'a complètement embrouillé les idées.

Keisha ferma les yeux de lassitude.

— Oui. Au sujet de ma carte.

— Tout juste !

— Elle était ici il y a quelques minutes.

— Je lui ai dit que vous m'aviez donné une de vos cartes, et qu'à un moment ou à un autre, j'avais dû la passer à Garfield, mais alors elle a commencé à me demander quand ça s'était passé, et je lui ai précisé que vous m'en aviez parlé ce matin, et…

— Je sais, je sais.

— Si je vous appelle, reprit Gail avec hésitation, c'est aussi pour savoir si, depuis que vous êtes rentrée chez vous, vous aviez, vous savez…

— S'il me vient quelque chose, promit Keisha. Je vous appellerai immédiatement.

— D'accord, c'est parfait. Écoutez, il faut que j'y aille. J'ai de la famille à appeler, je vais devoir prendre contact avec le funérarium et…

— Au revoir, Gail.

Keisha reposa le combiné sur sa fourche et allait se détourner quand le téléphone sonna de nouveau, si rapidement qu'elle sursauta.

Elle décrocha avant la fin de la première sonnerie :

— Gail, s'il vous plaît. Je ne peux pas parler…

— Hé, fit Kirk. C'est moi.

Tu as dit à mon fils que j'allais me débarrasser de lui.

Ce furent les premiers mots qui lui vinrent à l'esprit, mais ce qu'elle dit tout haut fut :

— Quoi ?

— J'ai de bonnes nouvelles.

Elle trouva cela difficile à croire, mais rassembla quand même l'énergie nécessaire pour demander de quoi il s'agissait.

— J'y suis retourné.

— Retourné où ?

— J'ai récupéré le sac. Le bon sac. Je me suis encore garé à côté, je me suis faufilé sans me faire remarquer, j'ai ouvert la benne quand il n'y avait personne dans les parages, et je l'ai eu. J'ai jeté un coup d'œil à l'intérieur, j'ai vu les vêtements, histoire d'être sûr. J'ai pensé que cette salope de flic pourrait commencer à fouiner dans les pizzerias du coin, tu sais, et…

— Dis-moi que tu ne le rapportes pas à la maison.

— Bon Dieu, Keesh, je ne suis pas idiot. Je m'en suis déjà débarrassé. Dans une benne à l'arrière d'un autre centre commercial, à quelques blocs de là. Et personne ne m'a vu cette fois. C'est bien, non ?

— Oui, ajouta-t-elle d'une petite voix, c'est bien.

C'était, s'avoua-t-elle à elle-même, des nouvelles bienvenues. Si la police ne trouvait pas les vêtements, et s'ils ne trouvaient pas de sang dans la maison ni dans la voiture, elle pourrait peut-être s'en tirer.

À condition qu'ils ne se présentent pas à la porte dans les cinq prochaines secondes pour fouiller la maison.

— Alors, que dirais-tu maintenant de fêter ça ce soir ? Toi, moi et le p'tit con ?

Le bref sentiment de soulagement qu'elle avait ressenti fit place à la haine et au mépris.

— On verra ça.

— Je rentre très vite, annonça-t-il avant de mettre fin à l'appel.

Elle sortit de sa chambre à grands pas et, alors qu'elle ouvrait la porte du placard sous la vasque de la salle de bains, elle fut à nouveau interrompue.

Cette fois, on frappa à la porte.

— Non, supplia-t-elle. S'il vous plaît, non.

Cela semblait trop tôt pour que Wedmore revienne avec un mandat et une équipe de la police scientifique, mais Keisha supposait que la police pouvait agir vite quand elle le voulait.

Elle ouvrit la porte d'entrée, s'attendant au pire.

Et d'une certaine façon, ce fut ce qui apparut devant elle. Mais ce n'était pas Rona Wedmore qui se tenait là sur le seuil, tout sourires.

C'était Justin.

La Range Rover de son beau-père était garée le long du trottoir, mais aucun signe de Dwayne Taggart.

— Salut, dit Justin. J'ai trouvé un autre moyen de gagner un peu plus d'argent, et je voulais vous en parler.

31

—Ce n'est pas le bon moment, dit Keisha, en bloquant la porte.

Ce gamin lui avait toujours fait froid dans le dos, mais il y avait quelque chose de particulièrement perturbant dans le sourire qu'il arborait à présent.

—Oh, je pense vraiment que vous allez vouloir entendre ça, insista-t-il, les mains enfoncées dans les poches de son jean, les épaules voûtées, essayant de résister au froid avec rien d'autre qu'un blouson léger et des baskets. Laissez-moi entrer, je vais vous expliquer.

—Non, refusa-t-elle en barrant la porte.

—Sérieux ? Vous savez même pas ce que j'ai à dire.

—Justin, allez-vous-en.

—Vous m'avez l'air sur les nerfs, Keisha. Tout va bien ?

Rien dans son expression ne dénotait l'empathie. Il avait l'air – était-ce possible ? – malveillant.

—Je n'ai pas passé une très bonne journée, se justifia-t-elle.

—Ça, je me doute, affirma-t-il, alors qu'elle commençait à lui fermer la porte au nez.

Elle interrompit son geste.

—Qu'est-ce que c'est censé signifier?

—Je dis juste que je suis sûr que vous avez eu une journée plutôt stressante.

Elle tenta de lire dans ses pensées, de comprendre à quel jeu il jouait.

—Vous avez quelque chose à dire?

—Il fait pas chaud ici, fit-il, presque tremblant.

Elle ouvrit la porte à contrecœur et le laissa entrer. Il sortit les mains de ses poches et les frotta l'une contre l'autre.

—Je devrais mettre quelque chose de plus chaud. Mais je déteste les doudounes, les bottes et tout ça. On a l'impression d'étouffer là-dedans.

—Qu'est-ce que vous faites ici? demanda Keisha en fermant la porte.

—Comme j'ai dit, j'ai eu cette idée pour se faire plus d'argent, annonça-t-il avec un sourire d'excuse. En fait, j'ai eu une idée pour que, moi, je me fasse plus d'argent. Mais je pense que ça va quand même vous intéresser de savoir comment je vais m'y prendre.

Elle attendit.

—Alors, vous allez m'inviter dans le salon ou quoi?

—Non.

Il parut blessé, puis se remit très vite.

—Bon, alors, ce matin, quand je suis passé, au moment de partir, vous regardiez les infos à propos de ce type dont la femme a disparu jeudi. Il donnait cette conférence de presse, avec sa fille, au bord des larmes et tout? Vous vous rappelez?

Elle hésita.

—Oui.

Ce sourire.

— J'en étais sûr. Et je me disais que c'était votre truc. Comme avec les Archer. Je sentais que votre curiosité était comme… piquée. Et vous savez, la mienne aussi. J'ai pensé que ce serait cool de vous voir à l'œuvre.

Non.

— Rappelez-vous, je vous ai dit qu'on devrait travailler ensemble. Que j'aimerais faire un stage d'observation avec vous, comme au lycée. Et en gros, vous m'avez envoyé chier, résuma-t-il en secouant la tête. Ça ne marche jamais vraiment avec moi. Je ne suis pas très doué pour obéir aux consignes. C'est ce que tous mes professeurs disaient, y compris M. Archer.

— Qu'est-ce que vous avez fait, Justin ?

— Bon, alors Dwayne – qui est toujours un de vos grands admirateurs, à propos, depuis que vous m'avez retrouvé, et même ma mère n'arrive pas à comprendre comment vous avez fait – m'a accompagné ici ce matin, et, sur le chemin du retour, je lui ai dit, hé, Dwayne, mon pote, ça te dérangerait de me prêter la voiture un moment ? Juste histoire de faire un tour et de m'éclaircir les idées ? Parce que toute la semaine, lui et ma mère ne m'ont pas lâché, pensant que j'allais refaire une fugue ou essayer de me foutre en l'air.

Il inclina sa tête vers la sienne, comme s'ils n'étaient pas seuls dans la pièce et qu'il voulait lui confier un secret.

— Entre vous et moi, je me demande vraiment si notre combine était une si bonne idée. Je veux dire que, bien sûr, j'ai eu l'argent qu'on a partagé et ils se font un sang d'encre pour moi et tout, mais, nom de Dieu, ils m'ont à l'œil, vous savez ? Je regarde dans le frigo et je soupire parce qu'on n'a plus de glace et eux, ils sont persuadés que je vais m'ouvrir les veines.

Il éclata de rire.

— Bon bref, je dis à Dwayne que je me sens vraiment bien et lui demande s'il ne me laisserait pas la Rover pour aller faire une balade. Je lui raconte que ça me remonterait le moral, m'aiderait à y voir clair. Et il me balance les clés. Ensuite je cherche l'adresse de ce Garfield et je la rentre dans ce bon vieux GPS, et quand j'arrive, votre voiture est déjà devant. Comme si on était parfaitement synchrones.

Keisha ressentit le besoin de s'asseoir, mais resta debout.

— Alors je me suis garé dans une petite rue, et j'ai rebroussé chemin à pince, et je pensais même frapper à la porte et me présenter comme votre assistant, vous savez ? Mais je me suis dit que je devais d'abord voir comment ça se passait, et j'ai trouvé ce super poste d'observation dans le jardin, près du salon, sur le côté de la maison, où on n'avait pas fermé les stores, où je pouvais vous voir faire votre truc. Je n'entendais pas grand-chose, mais j'ai pigé l'essentiel, à vous regarder faire votre boniment, et puis Garfield, qui était là, genre « vous vous foutez de moi ». Alors je reste là à mater un moment puis, Garfield rapporte un peignoir ou je sais pas quoi, et vous commencez à le tripoter.

Il secoua la tête d'étonnement.

— Il faut que je vous pose la question, qu'est-ce qui a bien pu lui faire péter les plombs ?

Keisha, sans voix, ne savait pas ce qui la stupéfiait le plus. Que Justin ait vu toute la scène, ou bien qu'il ne soit pas intervenu.

— Je veux dire, j'étais totalement sur le cul. Même s'il pensait que vous étiez là pour l'arnaquer, pourquoi essayer de vous tuer ? Pourquoi ne pas vous avoir simplement foutue à la porte, comme les Archer l'avaient fait, ou appeler la police ?

Il hocha la tête de manière encourageante pour susciter une réponse.

— Qu'est-ce qui se passait ?

D'une voix réduite à un murmure, Keisha répondit :

— J'ai eu… de la chance. Ma vision était trop proche de la vérité. Sa fille a tué Mme Garfield et il l'a aidée à maquiller le crime.

Justin ouvrit la bouche. Sa surprise était sincère.

— Sans déconner ? Ouah, c'est dingue. Ç'a dû être l'hallu totale pour vous.

— Oui.

— Alors il vous étrangle, et vous prenez… Qu'est-ce que c'était ? Une aiguille à tricoter, c'est ça ?

— Oui.

— Et vous l'avez eu en plein dans l'œil. En revers ! C'était géant ! Le voir tituber avec ce machin qui lui sortait de la tête, c'était incroyable, putain ! J'ai cru que vous aviez le dessus, mais ensuite, quand il vous a encore couru après, je me suis dit, bon Dieu, même avec une tige dans le cerveau, il veut pas s'arrêter, l'enfoiré. Comme dans les films, vous savez ? Je ne pensais pas que vous alliez vous en tirer, mais j'étais de tout cœur avec vous, vraiment.

—Il a failli me tuer, répondit Keisha en touchant son cou. Et vous, vous avez regardé.

—Je pouvais difficilement débouler et passer pour une sorte de voyeur pervers. Et de toute façon, vous vous êtes parfaitement débrouillée. Après votre départ, j'ai filé aussi.

Il se frotta à nouveau les mains.

—Alors, vous voulez entendre mon idée ?

—Je parie que je peux la deviner.

—Je veux votre moitié.

—Quoi ?

—L'argent que Dwayne vous a donné pour m'avoir retrouvé. Je sais qu'on s'était mis d'accord pour partager, mais maintenant je veux tout. Et avec ça, ajouta-t-il en se frottant le menton, deux mille de plus devraient faire l'affaire. Disons quatre mille cinq cents. Vous me donnez cette somme, et je ne raconte pas aux flics ce que j'ai vu.

—Si vous révélez aux flics ce que vous avez vu, vous reconnaissez que vous étiez là-bas.

Justin agita son index dans sa direction.

—Bien vu. Mais rien ne m'interdit de passer un coup de fil anonyme. Peut-être confirmer deux ou trois choses pour les flics. Les mettre sur la bonne voie.

—Vous en seriez capable.

Justin éclata de rire.

—Hé, je vous fais une fleur, là. Je ne vais pas voir les flics, je viens vous donner une chance. Et vous savez ce que je pensais aussi ? Je me disais que vous et moi, on devrait bosser ensemble à l'avenir. On fait une bonne équipe.

— Je ne pense pas pouvoir vous procurer une telle somme, dit Keisha.

Il y avait les cinq mille dollars de Gail Beaudry, mais ils se trouvaient dans la poche arrière de Kirk. Y avait-il une chance qu'il les lui rende ? Elle ajouta :

— Je ne sais pas si Kirk me donnera cet argent.

— Kirk ? C'est votre copain ?

Elle hésita à nouveau :

— Oui.

— Vous dites qu'il ne vous donnera pas l'argent ? Même pour empêcher qu'on vous arrête ?

— Il faudra le convaincre.

— Il est au courant de ce qui s'est passé aujourd'hui ?

Keisha fit oui de la tête.

— Alors il faudra lui parler. Le convaincre.

— Vous devriez peut-être lui demander vous-même. Il ne va pas tarder à rentrer.

Justin hocha la tête d'un air assuré.

— OK, très bien, je lui parlerai. Je peux attendre. Je suppose qu'il ne voudra pas que sa petite chérie s'attire des ennuis.

— C'est ça, répondit Keisha, impassible. C'est toujours à moi qu'il pense en premier.

32

Comme Justin devenait nerveux à faire le guet devant la porte d'entrée, il entra dans le salon et s'affala sur le canapé. Son regard se porta sur la bouteille de bière à moitié pleine et les restes de Twinkie.

— Vous avez quelque chose à boire ?

— Non.

— Bonjour l'accueil, marmonna-t-il tout bas. Alors, dites-moi, qu'est-ce que vous avait fait après avoir quitté la maison de Garfield ? Vous deviez être dans un sale état. Vous êtes passée dans une station de lavage en laissant les fenêtres de la voiture ouvertes ?

Elle ne lui répondit pas. Elle guettait Kirk à la fenêtre.

— Très bien, ignorez-moi, dit Justin. Alors, ce petit copain, qu'est-ce qu'il fait ? Il prédit l'avenir, pourchasse les extraterrestres, ou une connerie du même genre ?

— Il est dans le bâtiment, répondit Keisha. Mais ça fait un moment qu'il ne travaille pas. Il s'est fait mal au pied mais maintenant ça va beaucoup mieux.

— C'est sympa. J'ai hâte de faire des affaires avec lui.

Keisha entendit un grondement familier, puis vit le pick-up de Kirk tourner dans l'allée. Le plateau, à première vue, était vide. Kirk descendit et gravit l'allée d'un air important comme un homme qui était non seulement fier de lui, mais qui s'attendait à tirer son coup.

Il entra dans la maison et lança :

— Hé, poupée !

— Je suis là, dit Keisha.

Il fit quelques pas et balaya le salon du regard. Justin se leva et lui tendit la main.

— Salut, comment ça va ?

Kirk lui serra la main, perplexe.

— Je ne pense pas qu'on ait été présentés. Je m'appelle Justin. La dernière fois que je suis passé ici, vous roupilliez encore, précisa-t-il avec un grand sourire. J'ai dû parler tout bas. Keisha ne voulait pas déranger la bête.

Kirk ne comprenait pas ce qui se passait. Il n'avait jamais rencontré Justin, bien que Keisha lui ait parlé de l'arnaque qu'ils avaient montée ensemble. Le problème, c'était qu'elle lui avait dit que sa part était de mille dollars, et pas de deux mille cinq cents.

— Justin et moi avons monté le coup ensemble, lui rappela Keisha. Ses parents m'avaient engagée pour le trouver. On avait tout préparé à l'avance.

— Ah, ouais, d'accord, répondit Kirk. Joli coup.

— Ouais, se rengorgea Justin. Mon idée, de bout en bout. J'expliquai à Keisha qu'on devrait faire d'autres coups ensemble.

Kirk eut un haussement d'épaules, l'air de dire que ce serait peut-être une bonne idée.

— C'est pour ça que vous êtes là ? Vous mijotez quelque chose ?

— Keisha me dit que vous êtes parfaitement informé de ce qui s'est passé aujourd'hui, dit Justin.

Kirk le regarda avec méfiance. Même lui n'était pas assez stupide pour avouer n'importe quoi avant de savoir où il mettait les pieds.

— C'est possible, répondit-il lentement.

Justin comprenait sa prudence.

— La maison des Garfield. Je sais tout.

Kirk lança un regard furieux à Keisha.

— Qu'est-ce qui a bien pu te passer par la tête ?

— Je ne le lui ai pas dit, rectifia Keisha. Il était là. Il m'a espionnée par la fenêtre.

— Je trouve le verbe un tantinet péjoratif, objecta Justin. Je vous rappelle que vous étiez censée vous contenter de le plumer. J'espérais juste élargir mes horizons, voir comment Keisha s'y prenait. Qui aurait pu deviner qu'elle était passée des prédictions fantaisistes à la chirurgie de l'œil ?

— Comment savait-il qu'il te trouverait là-bas ? demanda Kirk.

Keisha expliqua rapidement que Justin était passé à la maison dans la matinée, avait eu l'intuition qu'elle pourrait aller voir Wendell Garfield, et l'avait trouvée chez lui.

— Ouais, confirma fièrement Justin. Et ma mère pense que je manque d'initiative.

Malgré toutes ces explications, Kirk était encore perplexe.

— Alors qu'est-ce que vous faites ici, si vous ne préparez rien de nouveau ?

— Il est ici pour me faire chanter, annonça Keisha.

—Quoi?

—Il veut de l'argent pour garder le silence sur ce qu'il a vu.

Instinctivement, Kirk tendit le bras dans son dos pour toucher le renflement sous son manteau d'hiver.

—Combien? demanda-t-il.

—Quatre mille cinq cents, proposa Justin sur un ton jovial. C'est la part de Keisha dans l'arnaque qu'on a montée contre mes parents, et deux mille de plus.

Et merde, pensa Keisha. Kirk était en train de faire le calcul dans sa tête. Il ressemblait à un homme des cavernes essayant de comprendre comment prendre des photos avec un Smartphone.

—Tu m'as dit que ce coup t'avait seulement rapporté mille dollars.

—Touché! concéda Keisha avec un haussement d'épaules.

Kirk s'occuperait d'elle plus tard. Il s'adressa à Justin :

—Alors vous voulez quatre mille cinq cents dollars ou vous dénoncez Keisha aux flics.

—Bravo, répondit Justin, comme si Kirk avait cinq ans. Vous méritez un bon point.

—Et vous croyez qu'on va vous les donner comme ça.

—Ce que je pense c'est que ce serait stupide de ne pas le faire. Il me suffit de passer un coup de fil anonyme pour que ça grouille de flics ici. Et si vous l'avez aidée, ça fait de vous un complice, si bien que c'est autant dans votre intérêt que dans le sien de garder tout ça secret.

Il attendit une réaction quelconque.

— Ohé !

— Ça va, j'ai compris, dit Kirk qui s'avança dans le salon, bousculant Justin et obligeant celui-ci à reculer de quelques pas. Eh bien, il se trouve que vous avez de la veine, parce que j'ai l'argent sur moi.

Pas vraiment ce à quoi Keisha s'attendait. Elle le regarda, sidérée.

— Sans déc ? s'exclama Justin comme un drogué sur le point d'avoir sa dose. Vous plaisantez, pas vrai ? Personne ne se balade avec une telle somme. Je vous aurais donné deux jours pour rassembler l'argent.

— Non, non, je l'ai, confirma Kirk, qui tendit la main derrière lui pour prendre la liasse de billets que Gail avait donnée à Keisha.

— J'y crois pas, dit Justin, tandis que Kirk déployait les billets en éventail.

— Je garde cinq cents dollars, parce que, là, il y en a cinq mille.

— Putain, vous avez braqué une banque ou quoi ?

Il n'arrivait pas à détacher ses yeux de l'argent.

Kirk fourra les cinq cents dans la poche avant de son jean. Il tendit le reste à Justin, et au moment où celui-ci allait s'en emparer, il laissa tomber les billets par terre. Ils voletèrent comme des confettis géants.

— Oh, merde, désolé, s'excusa Kirk.

— Pas de problème, répondit Justin, qui s'agenouilla pour ramasser les billets éparpillés.

Kirk projeta son genou contre le nez de Justin.

— Putain ! cria ce dernier en trébuchant en arrière, les mains sur le visage, du sang dégoulinant d'entre ses doigts. Ça va pas, non ?

Il tourna le visage défensivement et tenta de frapper Kirk à l'aveugle avec ses mains ensanglantées. Kirk dévia le coup sans force de Justin d'un grand geste de la main, puis baissa les yeux sur sa chemise mouchetée de taches de sang. « Merde ! » jura-t-il avant de plaquer violemment Justin contre le mur, à droite des étagères où étaient exposées ses nouvelles jantes.

— Tu crois que tu peux te pointer ici et m'entuber comme ça ? Tu crois que je vais te refiler ce fric sans rien dire ?

— Ne me faites pas mal ! cria Justin. Je crois que vous m'avez pété le nez ! Merde !

— Je vais te casser les os un par un si tu crois que tu vas partir d'ici avec un seul cent.

— Je vais la balancer ! Elle aura les flics au cul !

Kirk s'approcha de lui et referma les mains sur son cou, exactement comme il l'avait fait avec Keisha plus tôt dans la journée.

Justin toussa.

— Peux pas…

Ce fut au tour de Justin de faire usage de son genou. Il le souleva vite et fort, touchant Kirk aux testicules.

— Merde !

Kirk lâcha le cou de Justin et se recroquevilla, les mains sur son entrejambe, la douleur irradiant dans tout son corps. Il fit un pas en arrière, puis à gauche.

Justin tendit la main droite, la glissa entre le mur et l'étagère, et, y mettant toutes ses forces, poussa le meuble en avant. L'étagère n'était pas fixée au mur.

Elle vacilla, d'abord au ralenti, puis de plus en plus vite.

Les deux jantes posées sur la planche du haut tombèrent en premier. L'une d'elles heurta Kirk à l'épaule, le faisant tomber par terre. Une fraction de seconde plus tard, l'autre jante atterrit sur son torse et rebondit sur son visage.

Alors que le meuble continuait sa chute, les deux jantes de l'étagère du milieu tombèrent. L'une sur le genou de Kirk, l'autre sur le tapis.

— Ouais ! jubila Justin. Prends ça, connard !

Il se retourna vivement, étourdi, sourit à Keisha, juste le temps de voir la bouteille de bière s'abattre sur sa tête.

Dès qu'elle l'eut frappé, elle laissa tomber la bouteille. Elle sentit la douleur de l'impact – elle l'avait frappé en plein sur le front –, irradier dans son bras. La bouteille ne se brisa pas, pas même quand elle tomba par terre, mais elle fut efficace. Justin chancela en arrière et s'écroula, heurtant le mur où s'était trouvée l'étagère et glissant sur le dos jusqu'à terre.

La respiration haletante de Keisha était le seul bruit dans la pièce.

Elle embrassa les décombres du regard. L'étagère renversée, les jantes éparpillées, Kirk coincé en dessous. Justin inconscient.

Du moins, c'est ce qu'elle croyait.

— Mon Dieu.

Elle s'agenouilla, posa la main sur sa poitrine. Il était dans les pommes, mais vivant. Elle le sentait respirer sous sa paume.

Kirk aussi était vivant. Il produisit un faible bruit de toux.

—Bébé, appela-t-il. Je ne peux pas… Je ne peux pas bouger.

Il eut une sorte de haut-le-cœur. Keisha s'avança vers lui, enjamba un des montants de l'étagère de façon à voir Kirk. Elle aperçut un œil derrière la jante qui lui comprimait la trachée. L'étagère était tombée dessus, la maintenant en place.

Keisha allait devoir déplacer l'étagère avant de pouvoir soulever la jante.

—Hé, dit Kirk. Enlève cette… Enlève-moi ça.

Il essayait de bouger la jante avec ses mains, mais l'une d'elles était coincée derrière son dos, et il n'avait aucune force avec sa main libre.

Keisha réfléchit.

Examina la situation.

Pensa à Matthew.

Il y avait peut-être encore un moyen de s'en sortir. Un moyen de ne pas être inquiétée, de rester avec son garçon.

—Hé! insista Kirk. Tu es… sourde, putain! J'ai besoin… d'aide.

Il toussa.

Il y avait beaucoup de choses à résoudre en très peu de temps. Elle allait devoir y parvenir avant que Justin se réveille.

Ce qui se présentait à elle, c'était une chance.

—Salut, dit Keisha en regardant Kirk à travers les rayons de la jante en alliage.

—Peut pas… respirer.

—Ça a l'air sérieux. Ça doit faire un mal de chien.

—Qu'est-ce que tu fous… bordel? Déplace… l'étagère.

Sa respiration était sifflante.

— Je pense avoir un moyen de m'en sortir, Kirk, dit-elle. Il se peut que ça ne marche pas, mais il se peut aussi que ça fonctionne. Je dois courir le risque.

— Qu'est-ce que... tu... ?

— Ce qui est sûr, c'est que ça ne marchera pas avec toi. Une fois que Wedmore t'aura collé dans une salle d'interrogatoire et commencera à te poser des questions, je doute que tu sois capable de te montrer plus malin qu'elle. Tu comprends ce que je suis en train de t'expliquer ?

— Salope...

— Tu es mon maillon faible, Kirk. Désolée. Tu étais un type bien, tu sais, quand on s'est rencontrés. Tu m'as vraiment fait craquer. Tu avais l'air si gentil.

Elle avait à nouveau cette boule dans la gorge.

— Mais tu m'as bien eue. Tu t'étais insinué en moi.

Et elle mit la main entre ses seins.

— Avant que je me rende compte que tu étais un parfait connard.

Il ne soufflait mot. Il la regardait avec ce seul œil ouvert.

— Il y a encore quelques heures, pourtant, je n'aurais peut-être pas été capable de faire ça. Je t'aurais peut-être aidé. Mais ce que tu as dit à Matthew. Que j'allais l'envoyer dans une école militaire ?

Elle secoua la tête.

— Ç'a été la goutte d'eau.

— Bébé...

Elle pesa de tout son poids sur l'étagère, qui, à son tour, comprima encore plus le cou de Kirk. Elle parvint à décoller un pied du sol, le posa sur le bord de l'étagère du milieu, puis l'autre pied.

Kirk produisit des bruits très alarmants. Des bruits que Keisha entendrait pendant le restant de ses jours.

Elle resta là deux minutes jusqu'à être sûre, jetant des regards à Justin toutes les deux ou trois secondes pour vérifier qu'il n'avait pas repris connaissance.

Quand elle fut certaine que Kirk était mort, elle passa à l'action.

Elle fit les choses très vite, n'omettant aucun détail.

Répéta l'histoire dans sa tête.

Mit tous les accessoires en place.

Après quoi elle trouva dans la poche de sa veste la carte que Rona Wedmore lui avait donnée chez les Garfield. Alla jusqu'au téléphone de la chambre et composa le numéro.

L'inspecteur décrocha à la troisième sonnerie.

— Allô ?

— Keisha Ceylon à l'appareil. J'ai des aveux à vous faire.

33

Justin : Merde, c'est pas trop tôt. Ça fait des heures que je poireaute dans cette pièce. On se les gèle dans vos salles d'interrogatoire. Ils m'ont pris ma veste, et même mes chaussures. On peut savoir pourquoi ils ont pris mes chaussures ?

Wedmore : Désolée pour ça, Justin. Laissez-moi voir si je peux monter la température. Je ne sais même pas si ce thermostat fonctionne. Comment vous sentez-vous ?

Justin : J'ai l'impression que ma tête va exploser. Merci de demander. Cette salope m'a frappé en plein sur le crâne avec une bouteille de bière. Elle est dingue. Presque autant que son petit copain. Ces deux-là sont fous à lier.

Wedmore : Le médecin dit que vous souffrez peut-être d'une commotion sans gravité. Mais la bonne nouvelle, c'est que votre nez n'est pas cassé.

Justin : C'est tout comme, pourtant. Je veux rentrer chez moi. Ma mère est là ?

Wedmore : Je n'en suis pas sûre. Écoutez, ils vous ont expliqué pour ce qui est de l'avocat et tout ?

Justin : Oh, ouais, mais ça va. Ce que j'ai à dire sur Keisha et ce type va vous plaire.

Wedmore : Tant mieux, parce que j'ai quelques questions à vous poser avant que vous partiez.

Justin : Vous avez inculpé cet enfoiré pour tentative de meurtre sur ma personne ?

Wedmore : Vous parlez de Kirk ?

Justin : Ouais.

Wedmore : Kirk Nicholson est mort, Justin.

Justin : Mort ?

Wedmore : Oui.

Justin : Ben, merde, alors. Ça a dû arriver quand l'étagère lui est tombée dessus, avec les jantes. C'est ça qui s'est passé ?

Wedmore : Pourquoi vous êtes-vous rendu au domicile de Keisha Ceylon ?

Justin : Je… euh… Je voulais la remercier encore une fois de m'avoir trouvé avant que je me fasse du mal. J'ai fait une dépression il y a deux semaines, j'étais vraiment au fond du trou, et mes parents l'ont engagée pour qu'elle me retrouve grâce à son… vous savez… son sixième sens.

Wedmore : Je sais que ce n'est pas vrai, Justin. Pourquoi êtes-vous vraiment allé là-bas ?

Justin : Hein ? Non, c'est vrai.

Wedmore : Donc vous êtes juste passé dire merci, et ça a conduit à une bagarre ? Qui s'est soldée par la mort d'un homme ?

Justin : C'est un peu confus dans ma tête.

Wedmore : Vous êtes sûr de ne pas être venu pour vous vanter ?

Justin : Me vanter ?

Wedmore : D'avoir battu Keisha à son propre jeu ?

Justin : Je n'ai pas… quoi ?

Wedmore : Keisha a décidé de tout dire.

Justin : De tout dire ? Quoi ? Elle a avoué ?

Wedmore : Elle nous a fait quelques confidences.

Justin : Elle vous a dit qu'elle avait tué ce Garfield ?

Wedmore : Non, elle n'a pas avoué ça, Justin.

Justin : Eh bien qu'est-ce qu'elle pourrait avouer d'autre ? C'est elle qui a tué ce type.

Wedmore : On reviendra à ça dans un moment. Non, ce que Keisha a avoué, c'est le sale tour que vous avez joué à votre mère et votre beau-père.

Justin : Je ne sais pas… Je ne sais pas de quoi vous parlez.

Wedmore : Keisha a expliqué que vous l'avez approchée en lui soumettant un plan pour les escroquer de cinq mille dollars.

Justin : Elle vous a raconté ça ?

Wedmore : Comment vous est venue l'idée ?

Justin : Je ne sais pas de quoi vous parlez. Comme je l'ai dit, j'étais déprimé, je me suis enfui de chez moi pendant un certain temps. Mes parents ont engagé cette femme pour me retrouver. Elle a eu cette vision de moi dans les bureaux vides que ma mère louait autrefois à une clinique de chirurgie esthétique.

Wedmore : Où avez-vous fait votre lycée, Justin ?

Justin : Mon lycée ?

Wedmore : Vous n'avez jamais eu comme professeur un certain Terry Archer ?

Justin : M. Archer ? Si, j'ai eu un prof de lettres qui s'appelait M. Archer.

Wedmore : Je viens de l'avoir au téléphone. Il se souvient de vous.

Justin : Vraiment ?

Wedmore : Oui. Il dit qu'il se rappelait un cours où il s'était mis à parler de cette horrible histoire qui leur était arrivée à lui et à sa femme. Il a mentionné que vous assistiez à ce cours, que vous lui aviez posé un tas de questions.

Justin : Oui, je me rappelle. La famille de sa femme avait disparu ou quelque chose comme ça.

Wedmore : Très bien. Vous vous rappelez. Et je suppose que vous vous rappelez le moment où M. Archer a parlé à ses élèves d'une voyante prête à leur révéler ce qui était arrivé à la famille pour mille dollars ?

Justin : Je n'étais pas un lycéen très attentif.

Wedmore : En fait, M. Archer affirme que vous lui avez demandé, à la fin du cours, le nom de cette voyante.

Justin : Je suppose que c'est possible, mais je ne m'en souviens pas.

Wedmore : N'avez-vous pas parlé d'elle à votre beau-père, M. Taggart ? J'ai cru comprendre qu'il s'intéressait à ce genre de chose.

Justin : Je ne vois pas où vous voulez en venir.

Wedmore : Quand Keisha Ceylon a conduit vos parents jusqu'à vous, ce n'était pas la première fois que vous la voyiez, n'est-ce pas ?

Justin : Euh…

Wedmore : Vous saviez ce qu'elle faisait, le genre d'escroqueries qu'elle organisait, et vous lui avez suggéré un plan pour obtenir cinq mille dollars de vos parents. Il a fallu la convaincre, mais Mme Ceylon a marché dans la combine.

Justin : Écoutez, ma mère, mon beau-père, ils ont plein de thunes, et tout ce que j'ai pu leur faire, ça nous regarde. Ce n'est pas comme si le public s'était fait arnaquer ou quoi. Keisha… elle vous a vraiment raconté ça ?

Wedmore : Elle a dit que vous admiriez son travail. Que vous étiez un fan. Qu'elle vous avait inspiré. Qu'après avoir escroqué vos parents, vous vouliez faire d'autres coups avec elle, mais qu'elle avait refusé. Est-ce que ces affirmations vous paraissent à peu près exactes ?

Justin : Je ne dirais pas ça.

Wedmore : Où est-ce que je me suis trompée ? Remettez-moi sur la bonne voie.

Justin : Je ne sais pas. C'est juste que… ça ne me rappelle rien du tout.

Wedmore : Ah non ? Vous n'êtes donc pas allé chez les Garfield pour proposer le même genre de service que Keisha ?

Justin : Putain, non. Vous ne voyez pas ce qu'elle est en train de faire ? Elle a avoué cet autre truc, avec ma mère, son mari et moi, parce qu'elle se dit… parce qu'elle passe pour presque honnête du coup. Vous comprenez ? Elle est prête à reconnaître tout ça, pour que vous la croyiez quand elle prétend qu'elle n'a pas commis l'autre truc vraiment grave, d'avoir tué ce type.

Wedmore : Vous n'êtes pas passé chez elle pour vous vanter que vous étiez le nouvel escroc de la voyance en ville ? Que vous aviez obtenu mille dollars de M. Garfield avant elle ? Et ça a mis son petit copain tellement en colère, que vous empiétiez sur le territoire de sa copine, qu'il vous a agressé ? Qu'il y a eu une bagarre, et que vous avez fait tomber cette étagère sur lui ?

Justin : Bon, c'est totalement… il y a eu une bagarre, d'accord, mais ça ne s'est pas passé comme vous le racontez.

Wedmore : Vous n'avez pas menacé son fils au cas où elle vous mettrait des bâtons dans les roues ?

Justin : Menacer son… quoi ?

Wedmore : C'est pour ça que vous avez une photo de lui dans votre téléphone. Photo que vous lui avez envoyée par e-mail. Pour qu'elle sache que vous le surveilliez, et qu'elle ne vous balance pas à la police ?

Justin : C'est totalement… C'est le gosse qui m'a demandé de le prendre en photo.

Wedmore : Il y a deux petites choses dans cette boîte que j'aimerais vous montrer. Attendez… voilà. Vous avez déjà vu cet argent, Justin ?

Justin : Ça vient d'où ?

Wedmore : Je vous demande si vous l'avez déjà vu ?

Justin : C'est de l'argent. L'argent c'est de l'argent. Tous les billets se ressemblent.

Wedmore : Vous remarquez le sang sur le bord de certains d'entre eux, là ?

Justin : Euh, ouais, je vois ça. Et alors ?

Wedmore : On a conservé quelques billets qu'on est en train de faire analyser, mais nous pensons qu'on y trouvera le sang de Wendell Garfield.

Justin : Ah, bon ?

Wedmore : Vous savez où on a trouvé cet argent, Justin ?

Justin : Comment voulez-vous que je le sache ? Si c'est le sang de Garfield, je suppose que vous l'avez trouvé sur Keisha.

Wedmore : On a trouvé cet argent dans votre blouson, Justin.

Justin : Hein ?

Wedmore : Comment cet argent s'est retrouvé dans votre blouson, à votre avis ?

Justin : Sérieusement ? C'est elle qui l'y a mis. Forcément. Quand j'étais dans les pommes.

Wedmore : Oui, je suppose que c'est une possibilité. Je comprends votre argument. Vous êtes resté inconscient une dizaine de minutes, d'après le médecin.

Justin : Eh bien, vous voyez.

Wedmore : Rendez-moi un service, Justin, vous voulez bien ?

Justin : Quoi ?

Wedmore : Vous voulez bien écrire votre nom sur ce bout de papier ?

Justin : Pour quoi faire ?

Wedmore : Juste pour me faire plaisir.

Justin : Vous allez le coller à la fin de faux aveux ?

Wedmore : Voyons voir s'il y a de l'encre dans ce stylo… oui, celui-ci fera l'affaire. Tenez.

Justin : Vous voulez juste que j'écrive mon nom ?

Wedmore : Prénom et nom.

Justin : Je ne pige pas.

Wedmore : Justin…

Justin : Et puis, merde. Voilà. En trois exemplaires.

Wedmore : Merci. C'est comme ça que vous signez en général ?

Justin : Ouais.

Wedmore : Hum.

Justin : Quoi ?

Wedmore : Simple curiosité. Il y a autre chose que je voudrais vous montrer.

Justin : Quoi ?

Wedmore : C'est dans un autre scellé, bien que nous l'ayons trouvé avec l'argent liquide. Ça y est, le voilà. Vous reconnaissez cela, Justin ?

Justin : Qu'est-ce que… ? C'est un chèque.

Wedmore : C'est exact. Vous voyez sur quel compte est tiré ce chèque ?

Justin : Garfield. Wendell Garfield.

Wedmore : Pour cinq cent quatre-vingts dollars.

Justin : Ouais.

Wedmore : Et vous voyez qu'il y a aussi du sang sur le bord du chèque. On devra faire faire une analyse pour voir à qui appartient ce sang, mais comme pour les billets, on a déjà notre petite idée.

Justin : D'accord.

Wedmore : Et je suppose que vous avez remarqué l'autre chose intéressante. La plus intéressante de toutes.

Justin : Je ne comprends absolument rien à ce que vous me dites.

Wedmore : Vous ne voyez pas à quel nom est libellé le chèque, Justin ?

Justin : Je sais pas. J'arrive à peine à lire.

Wedmore : Oh, allez, faites un effort. Qu'est-ce qu'on lit ?

Justin : Ça ressemble à mon nom.

Wedmore : C'est exact. Vous remarquez que l'écriture ne correspond pas ? Que l'écriture de M. Garfield est totalement différente de celle de votre nom écrit ici ?

Justin : Je vois ça.

Wedmore : J'imagine que c'est M. Garfield qui a fait le chèque, mais qu'il a laissé l'ordre en blanc. Certaines personnes écrivent à moi-même, ou y inscrivent leurs noms. C'est ce que vous avez fait ?

Justin : Je n'ai pas écrit mon nom.

Wedmore : Vous en êtes sûr ?

Justin : Impossible.

Wedmore : Mais attendez… l'écriture sur le chèque a l'air presque identique aux signatures que vous venez de me faire.

Justin : Je n'ai pas écrit mon nom là-dessus. C'est Keisha qui a dû le faire.

Wedmore : Quoi, vous pensez qu'elle vous a mis un stylo dans la main et que vous avez écrit votre nom alors que vous étiez inconscient ?

Justin : Elle a dû le copier.

Wedmore : À partir de quel modèle ?

Justin : J'en sais rien. Mon permis de conduire ?

Wedmore : Cette partie de votre permis – nous avons vérifié – est tellement usée qu'on distingue à peine votre signature. Vous savez à quoi ressemble votre permis, n'est-ce pas, Justin ?

Justin : C'est des conneries.

Wedmore : Vous êtes allé voir M. Garfield. Vous lui avez donné la carte de visite de Keisha Ceylon en guise de référence, en lui racontant que vous étiez son associé et que vous aviez eu une vision de sa femme. Garfield a dû paniquer, penser que vous saviez qu'il était impliqué dans sa mort. Quelque chose a mal tourné. Il vous a agressé, et vous lui avez planté une aiguille à tricoter dans l'œil. On est en mesure de prouver votre présence sur les lieux, Justin. Les empreintes de pas devant la fenêtre. Vos empreintes sur le châssis de la fenêtre. Vous avez regardé à l'intérieur avant, pour vérifier qu'il était bien là, ou après, pour constater le gâchis que vous laissiez derrière vous ? On a retrouvé de l'argent avec ce qui est probablement le sang de Garfield dessus, dans votre poche. Et pour finir, le chèque taché de sang de Garfield, libellé à votre nom, de votre propre main, dans la même poche. Ça se présente plutôt mal, ne pensez-vous pas, Justin ?

Justin : C'est elle qui l'a fait. Je vous le dis. Elle est allée là-bas pour essayer de soutirer de l'argent à Garfield. Elle l'a frappé dans l'œil et elle l'a tué.

Wedmore : Et vous savez ça comment ?

Justin : Je l'ai suivie là-bas. Je regardais par la fenêtre.

Wedmore : Vous reconnaissez donc avoir été sur les lieux.

Justin : À l'extérieur ! Pas à l'intérieur.

Wedmore : Dans ce cas, comment vous êtes-vous procuré ce chèque ? Signé par M. Garfield. Libellé à votre nom, avec votre propre écriture ?

Justin : Je… Je…

Wedmore : Si vous avez une preuve matérielle, quelque chose prouvant que Keisha était là, donnez-la-moi.

Justin : Elle avait du sang partout ! Fouillez sa maison pour trouver ses vêtements.

Wedmore : Nous l'avons fait, Justin. Nous n'avons rien trouvé. Ni à son domicile, ni dans sa voiture.

Justin : Alors c'est qu'elle a nettoyé ! Les gens font ça quand ils ont tué quelqu'un ! Ils nettoient !

Wedmore : C'est ce que vous avez fait, Justin ? Vous avez tout nettoyé après avoir tué M. Garfield ?

Justin : Je veux cet avocat.

34

—Alors tu vas venir à San Francisco avec moi ? demanda Matthew à sa mère.

—Oui, mais on ne va pas rester chez ma cousine. Je pense qu'on pourrait trouver un endroit, peut-être pas en ville, parce que c'est cher, mais juste en dehors. Pour voir comment c'est, et peut-être même s'installer là-bas.

—Je ne sais pas.

—Je pense qu'on a besoin d'un nouveau départ, dit-elle. Je ne peux même pas retourner dans cette maison après ce qui s'y est passé. On ne passera pas une nuit de plus dans cet endroit.

—Quelqu'un va récupérer toutes mes affaires ?

—Je vais y aller juste le temps de faire les valises, promit Keisha.

Elle avait encore les cinq mille dollars de Gail. Cet argent, elle y avait droit. Ce n'était pas une preuve dont elle devait se débarrasser. Comme ce fragment de chèque endossé que les parents de Justin lui avaient donné, avec sa signature au dos. Elle l'avait jeté aux toilettes avant que la police arrive, après avoir copié la signature de Justin sur le chèque en blanc que Garfield lui avait fait ce matin-là. D'avoir contrefait toutes ces signatures pour sa mère s'était révélé payant.

Il s'en était fallu de peu. Justin avait commencé à se réveiller quelques secondes après qu'elle avait dissimulé l'argent et le chèque dans les poches de son blouson. Jusqu'ici, l'histoire se tenait. Ils en avaient plus sur lui que sur elle. Et les parents de Justin n'avaient pas encore fait pression pour la faire inculper d'escroquerie à leurs dépens. Ils avaient peut-être bien trop à faire pour l'instant, à chercher un avocat pour défendre leur fils de deux accusations de meurtre. Ou peut-être que Marcia Taggart ne souhaitait pas rendre public le fait que son mari et elle avaient été dupés.

Par Keisha, mais aussi par leur propre fils.

Le moment paraissait bien choisi pour quitter la ville. Recommencer. Changer de vie. Trouver un travail. Peut-être qu'elle pourrait travailler dans un de ces comptoirs de maquillage dans un grand magasin. Du travail de secrétariat lui irait aussi. Keisha était organisée, elle serait capable de gérer le bureau de quelqu'un, de s'occuper de sa correspondance, ce genre de trucs.

Et s'il lui fallait un moment avant de trouver un travail honnête, elle pourrait toujours, temporairement – pas pour toujours, bien sûr –, dire la bonne aventure de temps à autre. Faire un thème astral.

Si elle se trouvait vraiment à court d'argent, aider quelqu'un à entrer en contact avec un cher disparu.

Ou même avec quelqu'un dont on serait sans nouvelles.

Dire aux gens ce qu'ils avaient envie d'entendre.

Leur donner de l'espoir.

Il faut bien qu'une fille gagne sa vie.

REMERCIEMENTS

Celle qui en savait trop trouve son origine dans une longue nouvelle que j'avais intitulée «Clouded Vision», laquelle faisait partie d'une sélection de textes courts destinée à encourager les lecteurs réticents à s'immerger dans un livre. Je tiens à remercier l'équipe de chez Quick Reads, et tous ceux qui s'emploient à promouvoir l'alphabétisation. Cela comprend beaucoup de gens, dont des éditeurs, des libraires, les organisateurs de la Journée mondiale du livre, des professeurs, des bibliothécaires, et, surtout, les parents qui instillent l'amour de la lecture à leurs enfants. Chapeau bas à vous tous.

Achevé d'imprimer par GGP Media GmbH, Pößneck
en juillet 2014
pour le compte de France Loisirs,
Paris

N° d'éditeur: 78002
Dépôt légal : mai 2014
Imprimé en Allemagne